一起進階花藝師！

架構之設計發想

& 技巧應用作品實例

陳淑娟——著

寫序的最佳時間在深夜，寧靜的氛圍適合沉澱、面對自己的內心。

複雜的思緒穿透過清冷的空氣，如露珠般凝結、淬鍊出精華！

如果這本書是我的第六個孩子，那真是個磨娘精的孩子，磨得為娘的白髮狂發。
前後五年，歷經兩代編緝，遇上新冠病毒造成的經濟低谷……一度令人擔心，是否就此難產了？

不僅是我和兩任編輯團隊，加上美編和攝影師，有時連銷售經理都要上場兼任司機協助作品運送。明明外頭早已大風大雨，這一群人卻無視風雨，悶著頭作事，一派雲淡風輕的作自己。

一直以來，喜歡平靜的作自己陶醉的事，閃躲紛擾，不是脫俗，是障礙。喜歡分享記錄，卻不善在人群中大鳴大放，用出書的方式最為適切。即使在這個大家幾乎都不太看書的年代裡，感恩自己還能作為一個作者，享受創作的樂趣並分享給讀者。

架構，雖然大部分需耗時製作，但加上不同花材，可變化多樣風格，並呈現更具藝術創意的作品。

在掌握技巧的原則下，亦可簡化，成為居家空間適合擺放的作品，在書中也有示範。
這本書，集結了各式創意技巧，掌握原則概念後，嘗試創新材料及表現手法，並加上生活感思來創作，讓作品更具生命力。

作品亦結合了高階荷蘭花藝設計師的部分考試項目，期待也能為參加檢定的學員們，在設計作品時，多一些書籍資料可參考。

感謝出版社及兩任編輯團隊，風風雨雨中，我們一起堅毅挺過！
感謝女兒的爹，在異常忙碌的這幾年，沒有苛責，默默承擔著家務。
感謝正在看書的您！有緣和您一起分享書中美好的一切！

陳淑娟　*2021元月 於寧曦花苑*

目錄

C o n t e n s

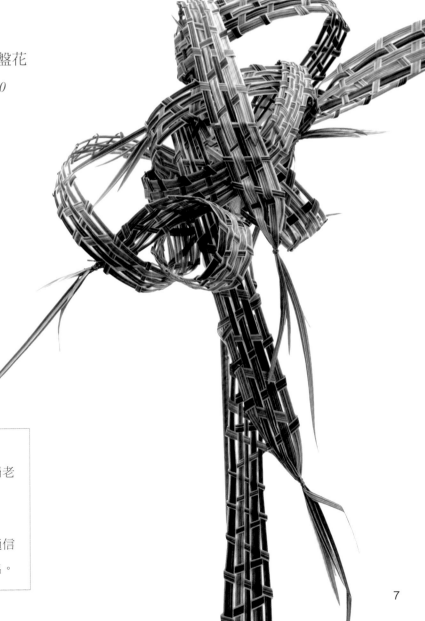

看影片學技巧！

掃描本書內文裡的*QR code*，即可觀看陳淑娟老師親自示範的技巧教學影片喔！

※請以平板電腦或智慧型手機掃描觀看。

※觀看影片本身無須費用，但仍需支付網路通信費，請注意個人網路流量上限，避免額外支出。

架構基礎概論

架構的定義

以自然或加工後自然素材、非自然素材等，製作成一個兼具藝術性及功能性的結構體，使花卉植物能與其搭配並固定其上，既襯托植物之美，架構本身更是作品的表現重點之一。

最早出現的架構其實是基於純粹的功能性，在花泉還沒有發明的年代，用以固定及控制花材位置之用，在作品中並不明顯。隨著製作技巧的精緻發展及材料的多元化，架構本身開始有極高的藝術性，在表現上慢慢主導了作品的發展方向，反使植物素材退居第二，發展出不同以往的花藝作品。可長時間存在的架構，隨著時間亦可能擁有後續演變，搭配相異的花材又能呈現出各式獨特的氛圍。因此，架構的製作或許繁複，但能夠長時期使用及變化無窮的可能性，依然吸引設計師們熱中此技巧。

架構式設計的特色

1. 作品空間較輕盈通透，沒有花泉插著作品厚重的底部。
2. 作品體積容易擴展，適合用於大型展演空間設計，且花材使用量相對較少，可節省部分成本。
3. 表現形式變化無窮，不受限於花泉的位置。
4. 製作時間雖然平均較長，但架構可重複利用，保存時間亦長，搭配不同花材更可營造不同氛圍，靈活度高。
5. 作品雖大，整體重量卻相對輕巧。
6. 架構式設計改變了人們對素材的既定印象，創造出更多不可思議的視覺表現。

製作架構的材料

常見於製作架構的材料可分為三大類：自然素材、加工後自然素材、非自然素材（異質素材）。自然素材架構所呈現的氛圍，當然是花藝設計常用及慣用的方式，以植物為主的表現，符合花藝設計的基本概念。非自然素材的架構雖然脫離植物素材的自然感，但是卻創造出不同於自然的氛圍，使創作的領域更為寬廣，擴大了設計的創意變化與視覺呈現。

1. 自然素材

又可分為枝材、葉材、藤柳類、果材。

枝材 舉凡木質堅硬、無塑型彎曲可能性的材料都列為此類。例如：苔木、梨枝、蘋果苔，以及桃、梅、李、杏、櫻、杜鵑等各式木質素材均可作為架構素材。使用上，有時是利用花開時的枝條，同時呈現枝材與花朵生氣盎然的模樣，有時是利用花謝後的枯枝創作；前者要注意吸水性，視覺呈現更為繽紛燦爛，後者使用的自由度大，變化更多！

葉材 葉片雖不若樹枝硬挺容易控制，但利用編織、捲曲、串等技巧，仍然能讓柔軟的葉材產生支撐力，常用素材有葉蘭、變葉木、紐西蘭麻、春蘭葉、斑春蘭葉、榕樹葉、茶花葉等。另外，水生植物特有的管狀中空及韌性，更是製作架構的極佳素材。

藤柳類 此類材料最大的特色就是可作大幅度的塑型與改造，捲曲或纏繞360度環狀都不成問題。最常見的有雲龍柳、米柳、枯藤、春天特有的藤芽、冬天常見的紅柳、獼猴桃藤、苔藤。四季都可取得的文竹藤蔓也是極佳材料，極細緻的葉片作為架構點綴，效果奇佳。苔藤由於市場採集販售品多半截短且為粗枝，不容易作出太大的塑型，可以預訂的方式保留長度，能作出較大的彈性塑造。

果材 常見有山歸來、蔓梅擬、紫仁丹等。而市場廢棄的椰子殼、蘋婆殼、成熟掉落的桃花心木果殼、楓香的聚合果、槭樹的翅果也可運用，果實類的使用有時需要枝材協助，但亦可單獨使用。

2. 加工後自然素材

常見的白木，近年來更有染紅、染黑等不同色澤可供選擇。乾燥後染色的竹枝，刷成金色或紅色，適合運用在中國風或節慶時使用。

新鮮時因細葉容易掉落而備受冷落的壽松，在葉片盡脫之後，以其莖枝加工成為各式各樣的染壽松，甚至加上亮片或貝殼粉。這獨特的加工讓灰姑娘瞬間成為高貴的公主，在聖誕節帶來雪國大地的亮麗氣氛，亦是製作架構的特殊材料。

進口的德國細竹，除乾燥的自然色之外，也有染成不同色澤的品項，使架構運用時變化更多。加工過的薄竹片、木片，無論原色或染色皆具有較佳的可塑性，多作為彎曲線條之用。

3. 非自然素材（異材質）

藝術家為創造更多的可能，經常會結合多樣元素在藝術品中，花藝亦不例外。近年來在各種不同的花藝展演中，應不難發現紙與花、布與花、蠟與花藝、金屬鋁線與花藝、陶土與花藝等結合。由於環保意識興起，許多生活中的廢棄物也可以透過花藝師的巧手及創意，與花藝結合。例如：喜愛品酒之人累積下來的軟木塞、日常飲料的吸管、一般膠帶使用後的中心紙捲等，都能成為架構的素材。

製作架構的技巧

一個架構作品中並不限於只使用一種技巧，技巧經常是合併使用，以多個技巧完成一個作品。這些技巧除了在架構製作時使用，也經常使用在花藝作品的設計上。

以下列舉製作架構時可以採用的各種技巧：

技之一　綑綁

最常使用的技巧，多半使用鐵絲連結固定。鐵絲的選擇以同色系為主，易於隱藏在材料間，綁點要乾淨俐落，一圈即綁緊，忌多圈混亂的呈現。綁點除了隱藏的概念，亦可成為裝飾性的設計焦點。多年前流行的串帶，刻意留下束帶尾端成為設計的一部分，並發展出螢光色系的束帶產品，是將原本隱藏的綁點，變化成為設計亮點的一種另類思考。

技之二　纏繞

以可塑性高的藤、柳、具有捲鬚的材料，或是柔軟的長形葉材，纏繞成環並作成架構。

技之三　卡

此架構多半必須與花器結合。此外，利用素材間的空隙卡住試管，用以支撐花材並供給水分也是常見的作法。

技之四　編織

以一上一下、來回穿梭的原則編織而成的架構，或是綁麻花辮的形式。有時是素材本身編織，有時是與其他不同素材構成的編織。

技之五　捲

利用素材本身的柔軟度，彎曲捲起，再加以組合。不同的材料，不同的捲法，可以作出千變萬化的作品。

技之六　結

長形葉片以打結方式，互相串連可形成一個結構體。與捲不同的是，不需藉助外力來固定。

技之七　黏貼

以各式接著劑將植物或非植物素材黏合成架構。

技之八　串

利用鐵絲、鋁線、針線等工具，穿過花朵、果實或葉片等素材中心連接成串的技巧。

技之九　串接

以鐵絲或鋁線連續綑綁素材的方法。與串不同的是，連接物也是清楚被展現的一部分，可規則並連，亦可不規則成串。

技之十　束

將大量素材採平行方式組合，以具有彈性的橡皮筋或拉菲草、麻繩綑紮成束，作為結構體。可在素材之間放入試管以利花材吃水，或是將整束架構放置花器中，利用素材之間的縫隙固定花材。

技之十一　折

利用具有韌性的素材，如蒲葉、木賊、新西蘭葉、紐西蘭麻等，折出不同角度的線條，再以黏貼、釘或鐵絲綑綁的方式，組合這些折曲的線條，形成一個由線條構成的鏤空架構。

技之十二　雕刻

將葉片刻出設計師所要的造型，通常會使用一個鐵絲加工後的框線為造型收邊，使雕刻技巧更顯精緻。雕刻物串接後即能成為一個架構。

技之十三　釘

較軟的葉片以釘書針連結，較粗的樹枝以鐵釘固定在木板上，或是以自製鐵絲U字釘將葉片、苔蘚固定在海棉或保麗龍上之類，這些都歸類為釘的技巧。

技之十四　鐵絲網塑型

以市售鐵絲網塑造出架構所需造型，再以其他素材美化架構的外形與質感，此即鐵絲網塑型技巧。亦可自製鐵絲網，使鐵絲線條與空間更靈活有趣。

技之十五　鑽

選用過於寬、厚的素材，難以藉由綑綁或黏貼等技巧固定時，就必須以鑽的技巧先製作出孔洞，再以鐵絲綑綁固定。工具的使用要稍加學習，並且特別注意安全。

架構造形類別

下列架構造形通常並非單一存在，一個架構作品的造形多半兼具數個要素，組合出無窮變化。

1. 規則幾何圖形
花藝的經典造型，有半圓形、球形、月眉形、三角錐形、長方形、正方形。

2. 不規則幾何圖形
依素材特性、隨性組合而成的造型，有著無限的可能。

3. 立體
立體架構不僅空間感較為豐富，可運用的變化也較多元。通常會結合前兩項造型，成為規則的幾何圖形立體架構或不規則的立體架構。

4. 平面
平面架構同樣會結合規則造型及不規則造型，形成平面的圖型架構，或平面的不規則圖型架構。

5. 平面層疊（立體）
平面層疊架構是以兩、三個平面架構，層疊成多層次的立體架構，每一個架構間的空間，可製造不同的趣味性。

架構其他特性類別

1. 以表現型態來分類

植生式架構
表現自然生長態的架構。

裝飾性架構
不符合自然態的架構表現手法。

2. 以材料後續的變化來分類

可持續生長的架構
例如雲龍柳、米柳、紅柳或是帶花的梅、櫻、桃、李等枝條。製作架構時若考慮到其吸水的方向，持續供水，可以看到素材持續生長的不同樣貌，例如紅柳長出綠芽的對比色畫面尤其吸睛。可持續生長的架構，能夠帶來無限的可能與想像。

外形不變持續乾燥的架構
因製作時不考慮其吸水性，或素材本身沒有持續生長的特性，使架構本身並無後續變化。但要考量的是，若在素材新鮮仍含有一定水分時製作，乾燥後的綁點有著素材脫水縮小後鬆動的可能。要解決此一問題，除了乾燥後再次鎖緊綁點之外，也可以在綑綁素材時劃上凹痕，將綑綁的鐵絲陷入凹痕，可省去一段時間後鎖緊的二次作業。

3. 以製作方式來分類

一次完成架構
未添加花材之前，架構已製作成一個穩定的結構體。

兩階段完成架構
架構製作一半即開始加入花材植物，花材植物加入後再進行第二階段的架構製作。

4. 與花器的關係來分類

獨立架構
架構本身為一獨立的結構體，不需依附花器，若與花器結合，仍要利用固定技巧與花器緊密結合。

與花器結合架構
架構依附在花器上製作完成，無法脫離花器獨立存在，兩者必須相依存。

架構概要簡表

架構素材	架構技巧	架構造形	架構其他特性
自然素材	使用技巧	規則幾何圖形	表現型態別
枝材	綑綁	半圓形	植生式架構
葉材	纏繞	球形	裝飾性架構
藤柳類	卡	月眉形	
果材	編織	三角錐形	
	捲	長方形	材料後續變化
加工後自然素材	結	正方形	可持續生長
	黏貼		乾燥不變
非自然素材（異材質）	串	不規則幾何圖形	
	串接		製作方式別
	束	立體	一次完成架構
	折		兩階段完成架構
	雕刻	平面	
	釘		與花器的關係
	鐵絲網塑型	平面層疊（立體）	獨立架構
	鑽		與花器結合架構

架構工具

架構通常偏向大型作品，為了兼具造形設計及穩定的支撐度，除了一般花藝工具外，

也經常使用居家修繕類的器材。

1. 電鑽＆合適鑽頭

在厚實材料或木板上鑽孔時的工具。使用時請注意安全。

2. 熱熔膠槍

黏貼較為快速，但不適合用於黏貼鮮花。

3. 花藝冷膠

專業用膠，不會灼傷花材。

4. 鐵槌

釘的工具。

5. 鐵絲包

可收納數種型號的花藝鐵絲，因應各式綑綁固定需求。

6. 釘書機

固定較薄葉片時使用。

7. 銅線

建議捲成棒型方便操作。

8. 枝剪

剪粗枝時較為省力，且切口平整有利後續操作。

9. 鐵絲剪

需要大量剪斷鐵絲，或剪斷較粗的蘭花鐵絲時使用。

10. 鋸子

切斷粗硬樹枝，或截切木板使用。

11. 錐子

使用於柔軟材質的簡易鑽孔。

12. 鐵釘

釘的技巧工具之一。

鐵絲綁法三種常見技巧

1.徒手綁法：

使用的鐵絲不會太粗，或手邊沒有平口鉗工具時，徒手綁法可快速處理少量綁點，技巧示範說明請見影片。

2.背帶式綁法：

兩枝素材呈垂直交疊時，背帶式綁法能維持角度，並牢固的綁緊素材，綁點也更精緻細巧。技巧示範說明請見影片。

3.平口鉗無結點綁法：

使用平口鉗工具可省力不少，處理眾多綁點時建議使用平口鉗，可同時進行鎖緊及剪切多餘鐵絲的工作。若能在鐵絲互轉時維持水平角度，鎖至多餘鐵絲直接斷裂，即可得到一個無結點的綁點。技巧示範說明請見影片。

技之一
綑綁。

「綑點的細緻度，決定了
作品技巧的精緻與否。」

　　綑綁是最常使用的架構技巧，常見是以鐵絲將素材綑
綁結合成架構，但綑綁材料日趨變化多元，束帶、環保帶
也常應用於架構綑綁之中，且顏色繽紛豐富，材質亦更有
變化。傳統的鐵絲綑綁，使用與素材相近顏色的鐵絲，講
究隱藏綑點，儘量不讓綑點被看見。近年來束帶和環保帶
的用法，有時會刻意突顯綑點，使綑點成為作品表現的元
素之一，兩者的概念略有不同。

　　束帶綁法需特定方向穿進小方結內才具有綁緊的作
用，若要重來，需使用錐子將方結內卡點按壓才能重複使
用，大部分會直接剪掉，重新使用新的束帶綑綁。束帶綁
法相對簡單快速許多，但若沒有適合的束帶顏色可與作品
整體搭配，或是作品不適合出現塑膠材質，不建議因快速
方便而任意使用束帶，那會使作品顯得粗糙不堪。

　　十多年前，歐洲花藝設計師來台灣進行教學時曾引進
各式螢光色調束帶，營造時尚多彩的活潑氛圍，近期則較
為少見。

星曜

苔木&楓香聚合果×瓶花設計

難易度／✿✿✿

帶孩子到石管局大草坪賞流蘇時，
在草地角落發現了大量掉落的楓香果實，
撿拾時被過路人詢問這果實是作何用處？
一時語塞無言。
查詢網路資料，有人將這琢磨染色作成乾燥材料，可愛逗趣！
不過心裡卻思考著如何能表現出這原始的黑？

看著這帶軟刺的小黑球，
是否也使你……
想像到了什麼？

架構設計理念

整體以暗色調出發，配合神祕的氛圍營造。花器與花材均以此作為基調。

將楓香果實黏貼在枝枒上，靜止的畫面仍能帶有跳躍的動感。

工具

平口鉗 · 枝剪 · 熱熔膠

架構素材

苔木 · 楓香聚合果

架構技巧

主要技巧：綑綁

輔助技巧：黏貼 · 卡的技巧

架構特色

落果的再生與運用

運用類別

規則幾何圖形	不規則	立體	平面
層疊	半圓形	球形	月眉形
三角錐形	長方形	正方形	自然素材
加工後 自然素材	非自然素材 （異材質）	可持續生長	乾燥不變
枝材	葉材	藤柳類	果材
環保素材	創意加工	獨立架構	與花器結合的架構
植生式架構	裝飾性架構	一次完成架構	兩階段完成架構

■ 造形元素　■ 材料元素　■ 型態元素

製作步驟

1. 將苔木不規則綑綁成立體架構,製作時不必刻意安排,以隨
   興遊戲的方式將手中素材組合後,轉換不同角度欣賞,再決
   定表現架構的方式。

2. 以卡的方式與花器結合,或在花器中先作好配木,將架構以
   綁的方式固定在配木上。

3. 楓香果實黏貼在苔木的枝枒上,分布時注意疏密度,才能更
   為自然,並具有律動感。

(註:配木為池坊插花的一種固定技巧)

設計作品 A

作品設計理念＆色彩搭配概念

神祕的暗色調來自於楓香聚合果的啟發，內層淺綠繡球和淺色古典藍繡球的亮色與之對比，
更突顯暗色的沉穩，並為作品增添了些許變化。

花材

暗紅色日本大理花‧綠繡球‧古典藍繡球‧紫鬱金香‧暗紅色乒乓菊‧暗紅海芋‧古典紫琥
珀桔梗‧暗紅迷你玫瑰‧劍尾竹芋

製作步驟

花材卡在架構的縫隙間，先將最內層對比色的兩枝繡球安排好，再慢慢加上外層的花材，同
一種花材在安排時要有呼應與疏密，避免對稱的安排。

設計作品 B

作品設計理念&色彩搭配概念

除了神祕與剛硬，同一款架構是否能有不同的表現方式？是作這個設計時想要突破的一個框架。羊毛松的使用主要為營造較柔軟的質地，與架構的堅硬作為對比。

於是內層改以鏽色繡球作為中心底部，與楓香果的質地色彩呼應，仔細分析鏽色繡球多變化的色彩，選擇色彩多樣的美國大康呼應繡球多變的顏色。因計劃改為整體較明亮的色調，因此這些由繡球中分析出來的顏色，均改採同色但淡色系的花來搭配。

花材

各式深淺古典色美國進口康乃馨·暗紅色大康·羊毛松·進口鏽色繡球

製作步驟

1. 鏽色繡球安排在作品的內層，羊毛松拉出線條，線條在架構中若站不穩，需要以鐵絲綑綁在架構苔木上加強固定。

2. 加上各種特殊色彩的大朵康乃馨，此時繡球的縫隙也可以插上少許康乃馨，注意不要過分遮蓋繡球的表現。

3. 同一款色彩的康乃馨分布時要疏密有致、高低錯落，營造輕鬆自然的氣氛。

月兒彎彎

米柳＆山歸來×
月眉型架構花束

「一樹春風千萬枝，嫩於金色軟於絲。」
白居易筆下的柳枝，
寫盡了柳枝的動態、形態和色澤。
米柳，
是一年四季在花市中都可見到的材料，
似乎並不起眼，
但隨著四季變化，
若你願靜下心來細細觀察，
會發現，
在色澤和姿態上都有不同，
沉浸在植物的世界中，
享受這有趣的變化。

難易度／★★★★★

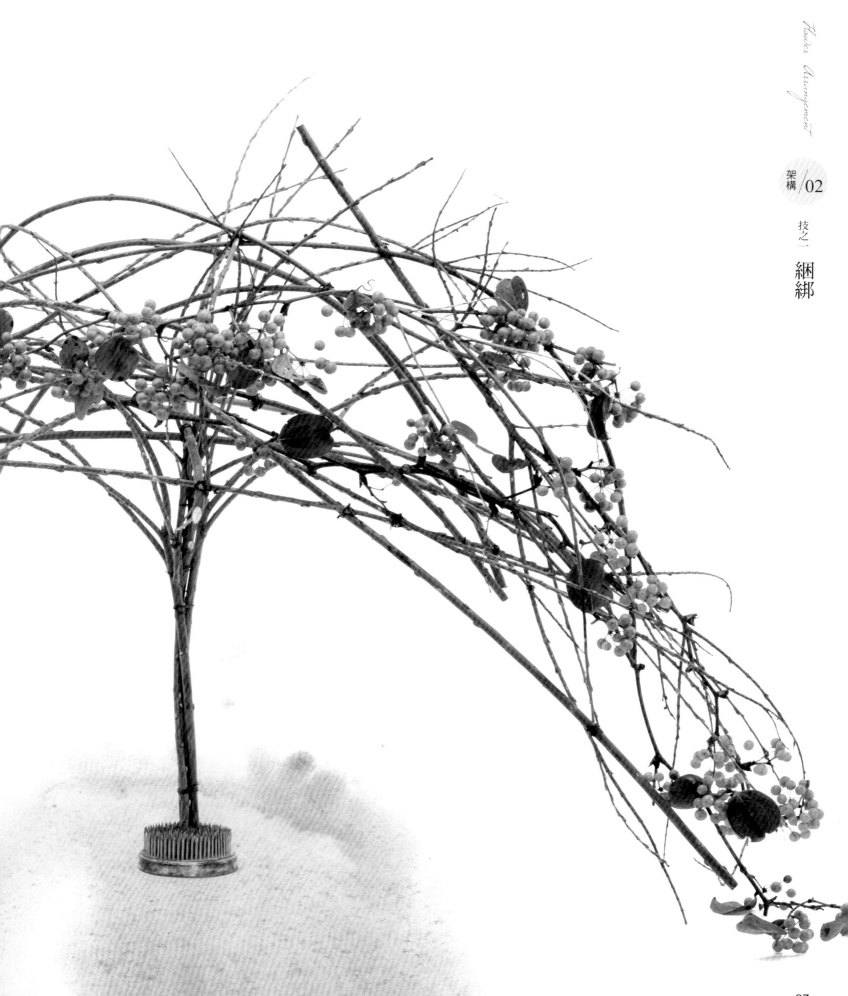

技之一 綑綁

架構設計理念

對於由古典花型進入歐式花藝設計領域的學習者而言，

規則外型的架構令人安心。可試著先由古典花型的基礎造型入門。

月眉，是個柔軟又適合表現柳枝特性的造型。

懸垂姿態展現材料的柔性線條特質，以配合月眉型的特色。

設計作品時，外型、材料特性、素材搭配、色彩變化……

息息相關，呈現作品清晰明確的設計主題。

工具

平口鉗·鐵絲·花剪

架構素材

米柳·綠色山歸來

架構技巧

主要技巧：綑綁

輔助技巧：按摩塑型·編織·手綁螺旋花腳·試管技巧

架構特色

古典花型的運用

運用類別

規則幾何圖形	不規則	立體	平面
層疊	半圓形	球形	月眉形
三角錐形	長方形	正方形	自然素材
加工後自然素材	非自然素材（異材質）	可持續生長	可乾燥不變形
枝材	葉材	藤柳類	果材
環保素材	創意加工	獨立架構	與花器結合的架構
植生式架構	裝飾性架構	一次完成架構	兩階段完成架構

■ 造形元素　■ 材料元素　■ 型態元素

製作步驟

1. 米柳按摩成弧型線條備用，以粗枝綁出十字結構。

2. 先在十字兩側加上細枝條，作出橢圓形結構，再於上方加上
   橫線條，構成立體結構。

3. 最後才加上作為花束手把的中心支條。

4. 利用剩下的細柳枝穿梭編織於主架構之間，分割出更多細小
   隔間，以利後續花材分布。

5. 綁上綠色山歸來分割架構空間，同時亦增加架構變化。

◆圖解步驟請見*P.062*

製作協力／李宛芸

架構／02

技之一

綑
綁

作品設計理念＆色彩搭配概念

以米柳與山歸來的黃綠為主調，白色微粉的聖誕玫瑰是唯一的對比色，亦極其少量。配合造型和主色調的平和感，在色彩搭配上以寧靜為主，不作太多的喧鬧。

花材

綠繡球·綠絲菊·綠火鶴·聖誕玫瑰·綠色垂雞冠·文竹·葉蘭·雪松

製作步驟

1. 花材先整理出乾淨的花腳。由最靠近中心點的花材先加入，面積大的繡球站在中心點偏左側邊的位置，仍要維持同方向螺旋腳。利用架構空隙間隔出花材空間。
2. 保留部分架構空隙不完全填滿，使花材分布疏密有致，亦能由外透視到架構內，欣賞作品時有更多探索的趣味產生。
3. 花束底部以葉蘭收尾，除伸展外，亦以捲曲手法增加葉型變化。

韶光粼粼

梨花×植生式架構盤花

四季，
都能見到人們瘋狂的追花。
滿樹燦爛令人迷醉。

我心嚮往卻怯於人潮，遲遲無法行動。
雖說工作日日與花為伴，
其實對於自然陽光下的美景更是期待……
花樹盛放的季節，
內心小劇場的矛盾不斷上演，
那麼，就來一個擬自然態的設計吧！
在一方小作品中，
想像一望無際的遼闊……

難易度／✿✿✿✿✿

架構設計理念

欲捕捉山林盛況的作品，

以植生式的姿態來表現梨花架構，

綴以春天特有的花材。

以此方式完成的架構，素材可持續吃水，

枝枒上的花朵仍能持續開放，

繼而長出綠芽，欣賞素材隨著時間所展開的變化。

花開花謝，綠芽繁盛，

是一個可長時間欣賞，並期待著變化的作品。

工具

平口鉗・花剪

架構素材

梨花

架構技巧

主要技巧：綑綁

架構特色

表現自然生長態的架構

運用類別

規則幾何圖形	不規則	立體	平面
層疊	半圓形	球形	月眉形
三角錐形	長方形	正方形	自然素材
加工後 自然素材	非自然素材 （異材質）	可持續生長	可乾燥不變形
枝材	葉材	藤柳類	果材
環保素材	創意加工	獨立架構	與花器結合的架構
植生式架構	裝飾性架構	一次完成架構	兩階段完成架構

■ 造形元素　　■ 材料元素　　■ 型態元素

製作步驟

1. 取梨花自然向上的線條，在枝枒交錯點上進行綑綁，藉由增加枝條的連結形成穩定結構。綑綁時要使用咖啡色鐵絲，使綁點隱藏在作品中。

2. 確認架構能以單手掌握後，在架構周邊的三角位置各綁上一支鐵絲，三支鐵絲在盤底結合，使架構與盤器結合固定。

3. 接著將架構與花器倒立，測試穩定度，順便清理盤中製作時掉下的細碎枝條。

作品設計理念＆色彩搭配概念

梨花色白，清新脫俗。不想打擾這悠靜的氣質，選配材料的色彩仍以白色為主，少許黃色的
燕子花帶來如陽光照耀的活力。水面上漂浮的花色，呼應作品上段空間的白色。

花材

小手毬・白海芋・黃色燕子花・白陸蓮・綠繡球・芒萁

製作步驟

1. 加上小手毬向陽的自然曲線，長線條與架構的固定點至少要綁兩處才能穩定，與架構的梨花
   一同表現在上段高度。一小枝小手毬在右側中下段高度與之呼應。

2. 黃色燕子花和海芋依其自然生長態不宜短插，表現在中段的材料。在架構空間內找到位置固
   定，卡和綑綁兩種技巧可搭配使用，唯求穩定。若減少綑綁依然穩固，是最有效率的方式。

3. 白色陸蓮可略低於燕子花和海芋，表現自然花型中的下段花。

4. 架構固定時略偏花器右側，小手毬線條雖向左側伸展，整體上右邊仍稍弱，以芒萁表現自然
   感，亦平衡了作品整體的量感。

5. 在水面放置一些漂浮花朵。不但增加動感，呼應了上段色彩，亦創造了不一樣的欣賞空間。

04 阡陌

柔麗絲莖枝 × 架構式桌上設計

難易度／✿✿✿✿✿

欣賞柔麗絲長長帶有線條紋路的莖，
仔細觀察，
色澤變化多樣。
但課程中經常會被剪除，
只留下果穗表現在作品中。
喜歡上她細緻的紋路、色彩的多變，
與質輕又易乾燥的特性。
下次再見到她，
不要急著剪短丟進垃圾桶，
欣賞一下這美麗的線條，
或許會有更新穎的想法。

架構設計理念

設計這一款從小元件組合成大結構，

平面構成立體的架構。

技巧並非新創，但改變一下素材，

取自生活中易得但被忽略的材料，

即能創造新設計。

工具

金色鐵絲・錐子・玻璃試管・平口鉗・花剪

架構素材

柔麗絲的莖

架構技巧

主要技巧：綑綁

輔助技巧：鑽

架構特色

廢棄材料的創新利用

運用類別

規則幾何圖形	不規則	立體	平面
層疊	半圓形	球形	月眉形
三角錐形	長方形	正方形	自然素材
加工後 自然素材	非自然素材 （異材質）	可持續生長	可乾燥不變形
枝材	葉材	藤柳類	果材
環保素材	創意加工	獨立架構	與花器結合的架構
植生式架構	裝飾性架構	一次完成架構	兩階段完成架構

■ 造形元素　　■ 材料元素　　■ 型態元素

製作步驟

1. 將柔麗絲莖剪成15至18公分不等的小段。

2. 在小段前後至少1.5公分處鑽孔,將三枝以金色鐵絲綑綁,串
　　接成平面三角形,即完成一個零件。

3. 製作出大量平面三角形之後,以不同角度拼組成立體架構,
　　疊合處同樣鑽洞後以鐵絲固定。

4. 串接成所需要的大小,綁上試管,架構即完成。

5. 橫放之外,亦可直立懸掛,運用於不同的主題。

◆圖解步驟請見*P.063*

製作協力／陳映存・周盈汝

設計作品

作品設計理念＆色彩搭配概念

採用花色是分析柔麗絲莖部的色彩元素，以自然配色法的方式、同系統的概念作色彩計劃。

花材

迷你香水文心蘭・紅樹蘭・橘樹蘭・鵝黃羽毛太陽花・橘色迷你太陽花

製作步驟

1. 將各色迷你太陽花以不同高底層次表現，即使架構不高，花朵製造的高度仍要具有層次感。

2. 迷你文心蘭以交錯曲線的方式製造空間感，與架構的線條走向呼應。

3. 試管在製作架構時先綁了大部分，但花朵安排的過程當中，仍可依實際狀況再加上一些。

4. 亦可將架構懸吊成為空間吊飾（上圖），唯試管固定方向要隨之改變，若使用乾燥花來創作也是一款創新設計。

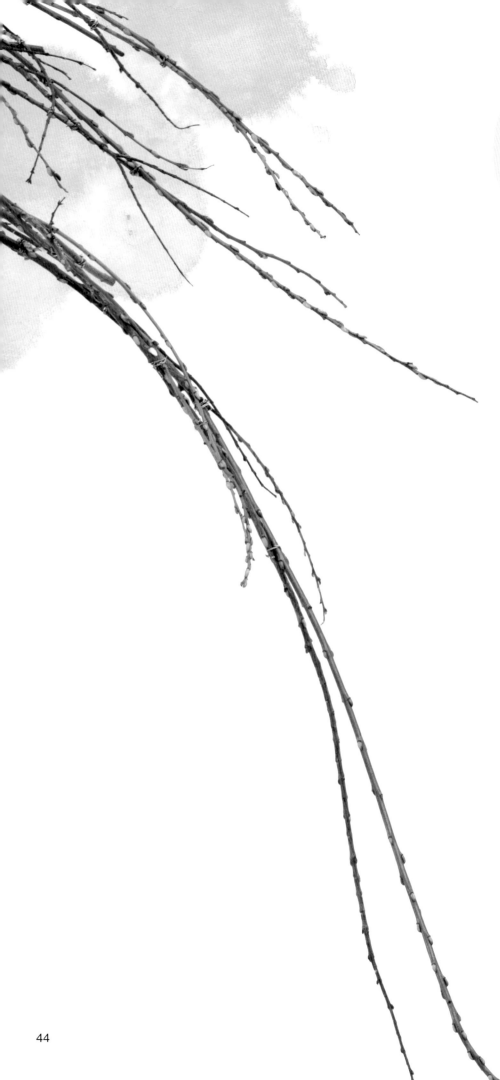

悠然

米柳×架構式新娘捧花

難易度／🍀🍀🍀

據說，
曖昧的情愫最勾動人心，
似有若無的表現，創造無限想像。
如何將這般的念想表現在架構上？
將抽象轉化為具象？
用隨興交錯的線條，
輕鬆構成不規則的平面架構。
層疊之後狀似孩子的塗鴉……
在飄然轉身之際，
一派瀟灑自在。

技之一

綑綁

架構設計理念

荷蘭花藝設計師檢定時,最考驗學員臨場反應的,就是這一類架構式的作品。

架構雖不困難,但在考場的凝重氣氛下,彷彿神祕箱似的,

進了考場才知道有什麼材料可用,因此最需要的就是考前的沙盤推演。

針對市場中常見的材料,可以操作的架構形式,在心中要有幾個模式可以套用。

米柳是一年四季皆可見到的材料,柳枝的特性極適合作彎曲弧度的架構造型。

這個設計目的就是要打破刻板印象,創造另一種可能。增加不同的套用模式。

柳枝自然隨興的微彎線條,在作品中被自然的保留,減少了人工按摩所形成的誇張曲線。

工具
金色鐵絲・平口鉗

架構素材
米柳

架構技巧
主要技巧:綑綁

輔助技巧:上鐵絲技巧(花材上鐵絲組合成新娘捧花)

架構特色
由平面變立體的層疊技巧

運用類別

規則幾何圖形	不規則	立體	平面
層疊	半圓形	球形	月眉形
三角錐形	長方形	正方形	自然素材
加工後自然素材	非自然素材(異材質)	可持續生長	可乾燥不變形
枝材	葉材	藤柳類	果材
環保素材	創意加工	獨立架構	與花器結合的架構
植生式架構	裝飾性架構	一次完成架構	兩階段完成架構

■ 造形元素　　■ 材料元素　　■ 型態元素

製作步驟

1. 將米柳剪成15至30公分不等的長度，不規則的任意交錯，綑綁成略似三角形的平面架構，自然的末端向外不規則伸展。

2. 步驟1的架構共製作三個，最後一個的線條可誇張點。

3. 在每一層架構的中心平衡點加上鐵絲握把。利用鐵絲握把將三層架構組合為一體。

4. 也可以先在第一層加上鮮花，再層疊第二層架構，製作順序可因實際需要略作更動。

製作協力／李宛芸

設計作品

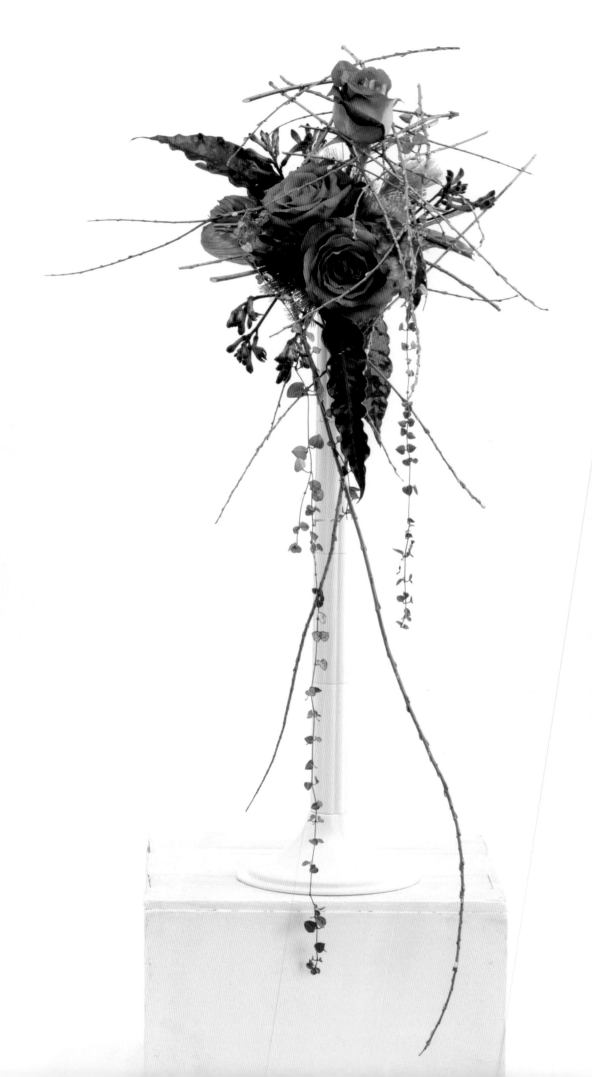

作品設計理念＆色彩搭配概念

取米柳略帶金黃的色澤為主，並且帶上婚慶的喜氣感。因此選擇略偏橘的古典紅色為基調，劍尾變葉木的暗紅製造同色系的明暗對比，增加色彩層次感，羊毛松尾端的色彩呼應米柳的金黃，且增添了溫柔的質感。

花材

進口橘紅玫瑰・袋鼠花・愛之蔓・羊毛松・劍尾變葉木・叢星果・圓葉竹芋葉

製作步驟

1. 所有材料剪出所需長度，依材質重量加上不同粗細的鐵絲（新娘捧花上鐵絲技巧請參考《一起插花吧！》P.162）。

2. 手持架構，先將中心三朵玫瑰花依高低層次組合在手中，細縫處加上叢星果、羊毛松或較短枝的袋鼠花，營造層次與細緻感。

3. 部分羊毛松與袋鼠花可製造線條，整體配合架構，類似倒三角造型。

4. 劍尾變葉木襯於主線下強調三角造型，圓葉竹芋葉作為最後的遮底，葉形在正面略為展現，增加作品形態的變化。

06 金秋

蔓梅擬 × 架構盤花

難易度／🍀🍀🍀

技之一 綑綁

秋天的蔓梅擬是個令人愛不釋手的素材，
宛如爆米花般可愛的果實造型十足吸睛，
果皮爆開後或紅或黃，
曲折有致的線條各有姿態。
即使價格年年攀升，
走過 ——
依然捨不得錯過……

架構設計理念

由花找器？或是由器找花？

對花藝師而言，這是日日都要面對的問題。

重要的是，找到契合的兩者。

從蔓梅擬的質感與色彩所產生的發想，幸運的找到這個花器，

斑駁鏽鐵的特殊質感，與素材特色十分搭配。

從花器中找到素材的色彩，

從素材中找到花器的質感，最是般配。

工具

鐵絲・平口鉗・花剪

架構素材

蔓梅擬・枯藤

架構技巧

主要技巧：綑綁

輔助技巧：卡

架構特色

季節性素材的運用

運用類別

規則幾何圖形	不規則	立體	平面
層疊	半圓形	球形	月眉形
三角錐形	長方形	正方形	自然素材
加工後自然素材	非自然素材（異材質）	可持續生長	可乾燥不變形
枝材	葉材	藤柳類	果材
環保素材	創意加工	獨立架構	與花器結合的架構
植生式架構	裝飾性架構	一次完成架構	兩階段完成架構

■ 造形元素　■ 材料元素　■ 型態元素

製作步驟

1. 先以無果實的枝條或枯藤，以卡的技巧逐步將枝條卡在瓶口，進行空間分割。

2. 有果實的枝條由空隙中投入，切口頂住花器內部的一角，一端與瓶口的枝條細綁固定。

3. 將蔓梅擬一一作好整體布局，形成一個具有秋天氛圍的架構。

製作協力／林長樺

設計作品

作品設計理念 & 色彩搭配概念

牡丹菊營造出古典華麗風格，與花器、蔓梅擬應和，少許的玫瑰和桔梗添加活潑氣氛，特殊的小蜜蜂文心蘭增加線條變化與動感。

由蔓梅擬與花器的色彩進行分析，以同系統並加上明暗對比的配色方式，在協調中兼具變化。不論明暗都略帶一些灰色的成分，藉此與花器相應和，原本明亮的黃色加入灰色雖略失彩度，卻更具沉穩氣質。

花材

小蜜蜂文心蘭・橘黃雙色樹蘭・木瓜色百合・橘色迷你玫瑰・牡丹菊・小夏桔梗

製作步驟

1. 先將牡丹菊與百合安排在作品內層，穩定整體重心，略有高低層次。

2. 玫瑰、桔梗稍高一些，以玫瑰的色調呼應蔓梅擬果實的顏色。

3. 小蜜蜂文心蘭拉出跳躍線條，因線條材料容易重心不穩而搖晃，除了使用卡的技巧外，可視需要加上綑綁。

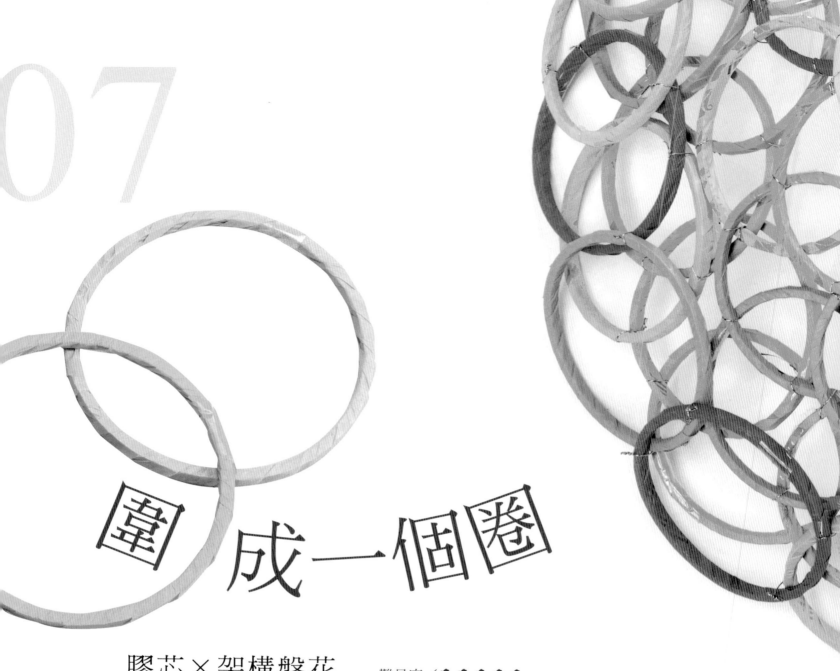

07

圍成一個圈

膠芯 × 架構盤花　　難易度／✿✿✿✿✿

膠帶是花店的大量消耗品，
使用後的膠芯一個個都是廢棄物。
某日，
堆疊了一些數量後，
猶如奧運的五環標誌。
腦海中浮現了外文書籍中看到的竹環架構。
將膠芯稍稍裝飾，以竹環架構的方式組合起來，
就成為了一個可以固定花材的特殊架構。
減少一次性的使用，減少購買，
是愛大自然的最佳表現！

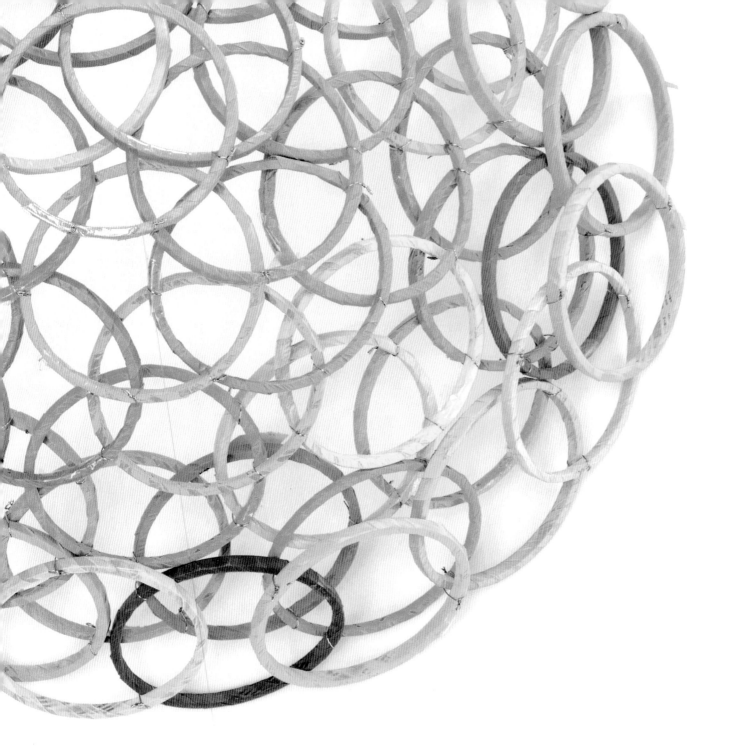

架構設計理念

以彩色紙膠帶包裹膠芯加以裝飾（紙膠帶也是出版社餘下的樣品），

以部分重疊的方式綑綁固定。

整體造型呼應花器，組合時可將花器倒扣，

貼著花器底部組合膠芯，

即可簡單製作出與花器相同弧度的架構。

工具

金色鐵絲・平口鉗・碗底花器・花剪

架構素材

膠芯・彩色紙膠帶

架構技巧

主要技巧：綑綁

輔助技巧：黏貼

架構特色

環保素材再利用

運用類別

規則幾何圖形	不規則	立體	平面
層疊	半圓形	球形	月眉形
三角錐形	長方形	正方形	自然素材
加工後自然素材	非自然素材（異材質）	可持續生長	可乾燥不變形
枝材	葉材	藤柳類	果材
環保素材	創意加工	獨立架構	與花器結合的架構
植生式架構	裝飾性架構	一次完成架構	兩階段完成架構

■ 造形元素　■ 材料元素　■ 型態元素

製作步驟

1. 取用膠芯的寬度愈窄愈好，方便裝飾與控制弧度。

2. 以橘黃色系的紙膠帶黏貼膠芯，色調中要多一點不同的色彩
   變化，製作約八十個。

3. 將碗底花器倒扣，裝飾好的膠芯從盤底開始堆疊，環與環的
   交疊點以金色鐵絲綑綁固定。

4. 直到架構大小與花器一樣，即完成。

◆圖解步驟請見P.064

製作協力／許淑薰

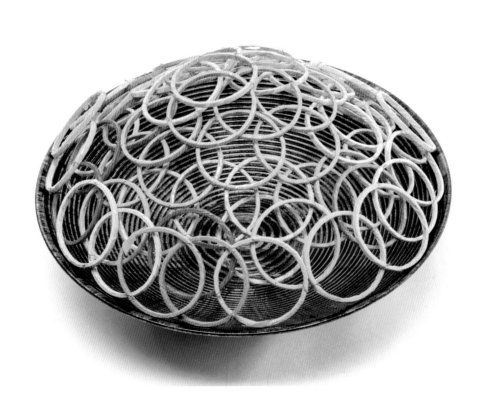

設計作品

綑綁

作品設計理念&色彩搭配概念

取向日葵、非洲菊的造形，呼應架構上不斷重複的圓，再以小蜜蜂文心蘭的線條作為型的對比，澳洲茶樹葉則是線與面的銜接。整體色調以紙膠帶的橘黃色系為主，巧克力向日葵的深色增加明暗對比，澳洲茶樹葉的紅褐色結合了向日葵與橘紅色調，使得統一中不失變化。

花材

小蜜蜂文心蘭・澳洲茶樹葉・巧克力向日葵・樹蘭・鵝黃羽毛太陽花・橘色小本太陽花・紅心芽

製作步驟

1. 架構四周以黏土固定在花器上，花器中注入約八分滿的水。

2. 將巧克力向日葵與太陽花，布局在架構外圍，保留中間呈現架構之美。花材略有高低層次與疏密，保留一枝特殊線條美的向日葵展現高度。

3. 文心蘭依其花面方向拉出跳躍線條，茶樹葉銜接層次，少許的紅心芽除了增加色彩變化，同時具有支撐花材的作用。

4. 樹蘭和太陽花高低跳躍，點綴其間，作品即完成。

圖 解 步 驟

架構/02 月兒彎彎／米柳＆山歸來×月眉型架構花束　P.29

1.

先以粗枝綁出十字結構，米柳按摩成弧型線條備用。

2.

在十字兩側加上細枝條，作出橢圓形底部結構。

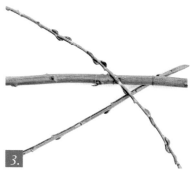

3.

綑綁時，不僅固定點要上下前後錯開，枝條莖部與末稍方向也要錯開，讓整體重量平均。

4.

以2為基礎，加上橫跨上方的立體線條。先加上好駕馭的短枝，再加上長枝。

5.

基本的月眉型立體結構完成。

6.

最後才加上作為花束手把的中心支條。

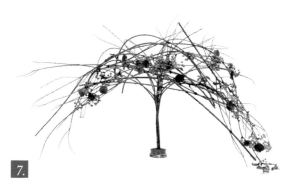

7.

將山歸來綁上，增加架構變化。

素材按摩方法示範影片

架構/04　阡陌／柔麗絲莖枝×架構式桌上設計　P.41

1.

利用插花後剩餘的柔麗絲莖枝，靜置乾燥後再進行加工。準備鐵絲與錐子。

2.

使用錐子在乾燥的柔麗絲花莖兩端鑽洞。

3.

以鐵絲將兩枝花莖綑綁固定。

4.

如圖組合成三角形，即完成一個零件。

5.

將兩個三角形如圖示組合，疊合處同樣鑽洞後以鐵絲固定。

6.

綑綁固定後，即成為三角立體零件。

7.

隨意組成各種模樣的三角立體零件。

8.

不斷追加零件組合，即可衍生出小、中、大等各種規模尺寸。

架構/07　圍成一個圈／膠芯×架構盤花　P.59

1.

此處利用0.2mm極細膠帶使用完畢後的
紙芯，作為架構素材。

2.

以彩色紙膠帶纏繞膠芯一圈。

3.

製作出色彩繽紛的架構零件。

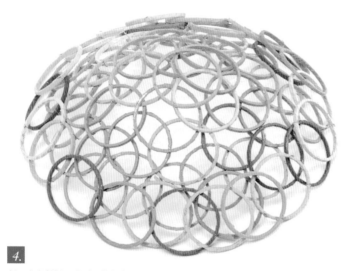

4.

依需求拼組成立體架構（弧度可利用碗型花器協助塑形）。

蝴蝶陸蓮／*Ranunculus 'Butterfly'*

日本研發的陸蓮品種。帶有光澤的薄片裂瓣輕盈
飄逸，觀賞期長開花率高，是極佳的花材。

技之二

纏繞。

「輔助技巧的使用要盡量少一些，以免僵化了纏繞要表現的素材線條特色。」

利用素材本身的彈性及曲折線條互相環繞勾纏，形成所需的架構造型，此即為纏繞技巧。

最常以藤蔓類或柳枝類素材操作此技巧。纏繞材料的曲折態若豐富一些，或是帶有捲鬚的藤蔓，造型可獲得較蓬鬆的空間感；若是平直一點的柳條，則纏繞出的造型較緊密紮實，各有不同風情。

這個章節所談的纏繞，以植物素材本身進行纏繞技巧為主，尚未提到利用鐵絲、鋁線或其他非植物素材，將花材纏繞出特殊造型的設計技巧。

近年來亦流行在鐵絲外纏繞各式不同線材，作為花藝設計的特別素材，這個技巧在雕刻篇章*P.261*可以見到。或是以電鑽來協助反覆的旋轉動作。

有空間感的纏繞，經常需要綑綁技巧的輔助，而紮實密集的纏繞，則常見以黏貼技巧輔助。輔助技巧的使用要盡量少一些，以免僵化了纏繞要表現的素材線條特色。

褪盡鉛華

枯藤×瓶花設計

難易度／★★★

曲折的藤在山裡，
挨過無光的低谷，
傾盡所有的力量攀抓，
只為生存。
雖然無華，
每一段蜿蜒都不是偶然，
說著動人的故事……

架構設計理念

利用枯藤容易綑繞的特性，纏繞成架構。

空間容易產生，保留特別的線條，呈現空間感。

纏繞是主要技巧，適時的綑綁則用以控制合適的大小與空間。

工具

平口鉗・鐵絲・花剪

架構素材

枯藤

架構技巧

主要技巧：纏繞

輔助技巧：卡・綑綁

架構特色

常見素材的運用

運用類別

規則幾何圖形	不規則	立體	平面
層疊	半圓形	球形	月眉形
三角錐形	長方形	正方形	自然素材
加工後自然素材	非自然素材（異材質）	可持續生長	可乾燥不變形
枝材	葉材	藤柳類	果材
環保素材	創意加工	獨立架構	與花器結合的架構
植生式架構	裝飾性架構	一次完成架構	兩階段完成架構

■ 造形元素　　■ 材料元素　　■ 型態元素

製作步驟

1. 新鮮的藤極有彈性，可稍加強按摩，以符合所需要的弧度。

2. 保留2、3枝具有特別線條的藤，其餘纏繞固定成不規則團狀，大小與花器口相同。

3. 剪取2枝直線條的藤，卡在日式花器的孔洞內，將纏繞好的架構，綁在直藤上，與花器固定結合。

4. 將特殊線條的藤加在架構外側，發展出整個架構的動態。

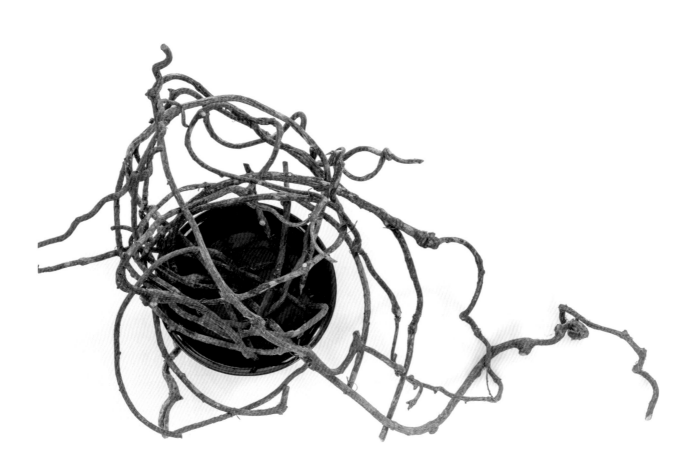

設計作品 A

作品設計理念＆色彩搭配概念

春天的藤芽予人無限的希望，取鬱金香略帶褐色的橘，與藤芽的色彩相呼應；暗紅大理與乒乓菊呼應藤的色彩；火焰百合則是兩者之間的連接色。試圖以此方式將色彩搭配得更為細緻。

花材

暗紅大理花・巧克力乒乓菊・藤芽・橘色線條鬱金香・火焰百合

製作步驟

1. 藤芽與枯藤架構以綑綁方式結合，在作品左側表現藤芽線條，與原本枯藤架構向右的線條平衡。

2. 深色大理花及乒乓菊先安排在架構內側，具有高低層次的綑綁在架構上。

3. 鬱金香作為外側藤架構線條與內側塊狀花的連接材料，使作品層次分明。

4. 火焰百合或高或低的展現律動感。

作品設計理念&色彩搭配概念

除了自然空靈，同一款架構也能展現華麗霸氣。以鏽色繡球為底，大量的橘紅進口玫瑰堆疊出層次與氣勢。以紅為主調，橘金色輔助，讓架構轉身跳躍，華貴登場。

花材

橘紅進口大玫瑰・鏽色繡球・橘金色水仙百合・袋鼠花・野貓文心蘭

製作步驟

1. 鏽色繡球花安排在底部，橘紅玫瑰堆疊其上，作出層次感及疏密安排。

2. 大量的野貓文心蘭向左放射出線條，袋鼠花在右側略帶線條。

3. 橘金色水仙百合點綴其間，增加色彩變化。

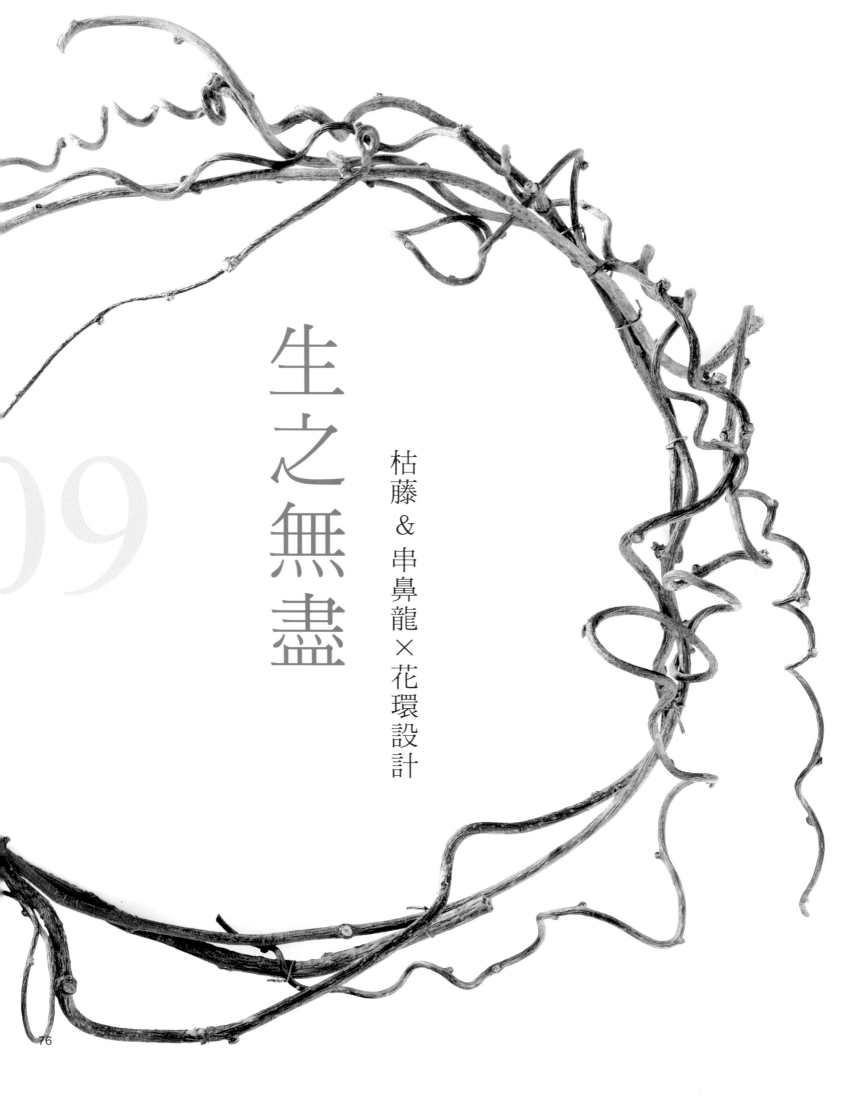

09

生之無盡

枯藤＆串鼻龍×花環設計

2019年八月初，
驅車上淡水山區，
接回可愛親人的地瓜（貓咪）時，
沉醉於山區豐富的自然資源。
這有台灣煙霧樹綽號的串鼻龍，
在圍籬上恣意生長著，
採集了一些纏繞成花環，
日日觀照她的變化。
即使採下時是花朵，
在乾燥後亦能成為毛絨絨的棉絮，
無怪乎花市戲稱為台灣煙霧樹。
每每進到花市裡，
總被那些少見的進口花材迷惑，
而忘了近在呎尺的這些可愛材料，
平日在環境中多點觀察，
用點巧思，
不但可以省點荷包，
得到的創作樂趣，更是金錢買不到的！

難易度／✿✿

架構設計理念

串鼻龍的藤蔓過於細軟，懸掛時容易變型，以細枯藤輔助，亦增加了曲折線條的變化。

纏繞時偶爾會使用綑綁技巧輔助，適度為之，

保持素材之間的空間感是最重要的，才能表現出串鼻龍棉架的輕與纖。

工具

平口鉗・鐵絲・花剪

架構素材

串鼻龍・細枯藤・紅色山歸來

架構技巧

主要技巧：纏繞

輔助技巧：綑綁・試管

架構特色

野生素材串鼻龍的運用

運用類別

規則幾何圖形	不規則	立體	平面
層疊	半圓形	球形	月眉形
三角錐形	長方形	正方形	自然素材
加工後自然素材	非自然素材（異材質）	可持續生長	可乾燥不變形
枝材	葉材	藤柳類	果材
環保素材	創意加工	獨立架構	與花器結合的架構
植生式架構	裝飾性架構	一次完成架構	兩階段完成架構

■ 造形元素　　■ 材料元素　　■ 型態元素

製作步驟

1. 先將直藤條綑綁固定成圈，再以捲曲的藤枝纏繞，作出層次

　　感豐富的花圈。

2. 在枯藤上纏繞紅色山歸來果實。

3. 將新鮮串鼻龍纏繞枯藤架構上，乾燥靜待果實爆出棉絮。

4. 若因控制線條所需，可使用鐵絲綑綁，但越少越好。

◆圖解步驟請見*P.082*

設計作品

作品設計理念＆色彩搭配概念

香水文心蘭搭配串鼻龍的質感，藉此增加線條的變化，鬱金香俐落簡潔的造型則成了作品中的視覺焦點。

花材

香水文心蘭・布朗尼鬱金香

製作步驟

1. 架構右上角綁上少許試管，將文心蘭以向左姿態安排在環上，底部放入試管吸收水分。

2. 右下角綁上試管，將鬱金香線條朝逆時針方向安排。

圖 解 步 驟

架構/09 生之無盡／枯藤＆串鼻龍×花環設計　P.79

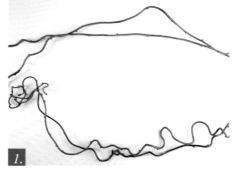

1.

纏繞適合選用較彎曲的藤枝（下），直
藤條（上）則可作為增加分量的基底，
但需綑綁固定。

2.

直接利用藤枝自然的捲曲來固定，即可
作出輕巧卻不單薄的花圈。

3.

亦可先將直藤條綑綁固定成圈，再以捲
曲的藤枝纏繞，作出層次豐富的花圈。

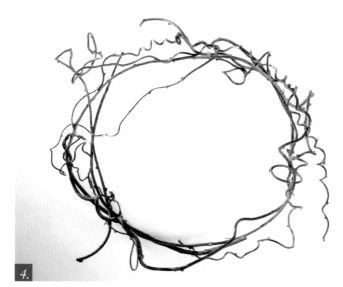

4.

直捲相疊，具有層次的花圈。

5.

加上山歸來與串鼻龍，完成架構。

花格貝母／*F. meleagris*

唯一原產於英國的百合（科），為貝母花的一種，深紫紅的格紋顯眼別致，婀娜纖細姿態最是迷人。

技之三

卡。

「這種技巧製作的架構，必須和花器結合，無法獨立存在。」

利用花器內部空間裝滿素材，或利用素材的彈性與花器卡緊，形成與花器結合為一體，兼具觀賞及固定花材的功能。這種技巧製作的架構，必須和花器結合，無法獨立存在。某些流派認定不能獨立存在的結構體不能稱之為架構。但換個方式思考，曾流行將植物素材固定在水泥或石膏塊中，亦是一種基座架構。差別只在於是否為不可分離的固定而已。

見人見智的看法沒有對錯，但是在參加檢定或比賽時，必須與訓練單位達成一致的共識最是重要。

運用這個技巧時，花器的選擇十分重要。上寬下窄的造型最不利於材料的固定，直筒狀花器、花器口帶邊的更適合運用卡的技巧。

東方花藝（日本或中國花）所使用的配木或撒的作法，分析起來也是一種卡的技巧。只是配木和撒在作品中的角色只有功能性，沒有裝飾性。

運用卡的技巧製作大型作品時，考量花材養護換水不易，也可以在架構內卡入一些試管作為花材供水之用。

另外，卡的技巧除了運用在基座架構的製作，以其他技巧製作的架構在安排花材裝飾時，也經常利用架構縫隙卡住花材。

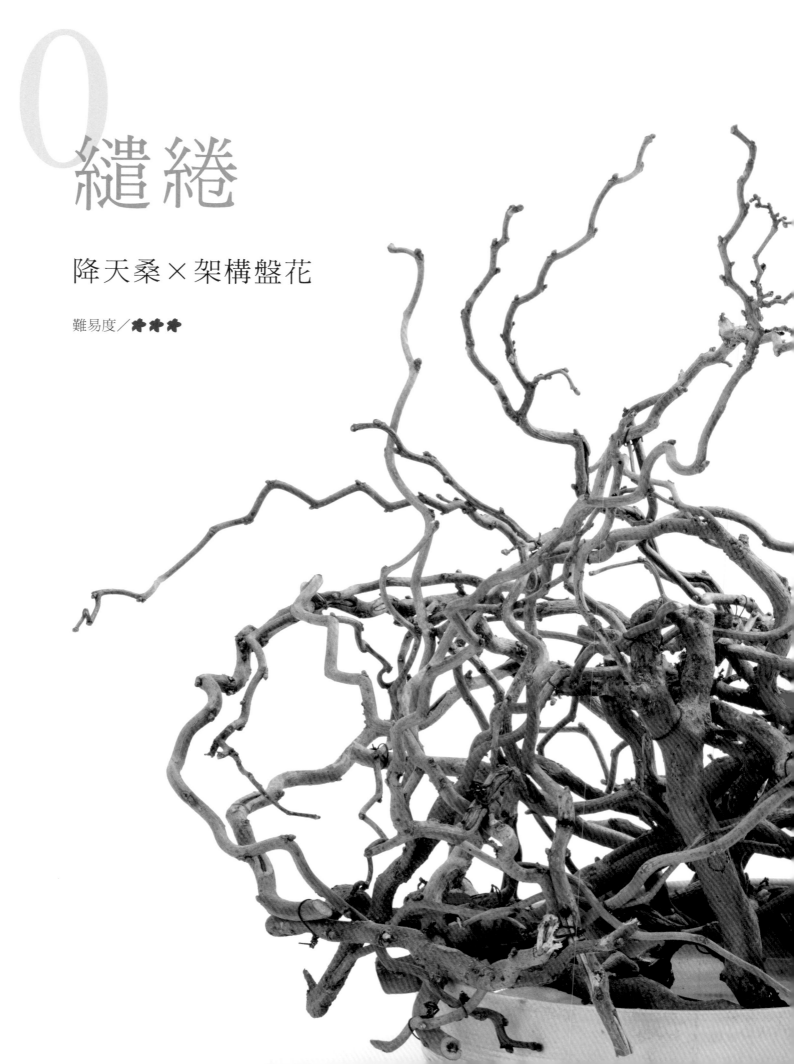

10 繾綣

降天桑×架構盤花

難易度／❀❀❀

阿發伯的攤位，
是多年來我在花市最感有趣的地方，
從品酒到品茶，阿發伯的改變也很多。
想找特別的材料，來這裡準沒錯！
特別的降天桑是他的專賣枝材，
仔細觀察每一枝降天桑獨有的姿態和動感，
好像摩斯密碼在傳達些什麼？

架構設計理念

曲折有致的線條別具特色，大地自然感的色調，與任何顏色搭配都不突兀。

縝密安排的疏密感，似如喧鬧與悠靜，此起彼落。

工具

#24咖啡色鐵絲・平口鉗・米色系陶盤・花剪

架構素材

降天桑

架構技巧

主要技巧：卡

輔助技巧：綑綁

架構特色

具有特殊造型的枝材運用

運用類別

規則幾何圖形	不規則	立體	平面
層疊	半圓形	球形	月眉形
三角錐形	長方形	正方形	自然素材
加工後自然素材	非自然素材（異材質）	可持續生長	可乾燥不變形
枝材	葉材	藤柳類	果材
環保素材	創意加工	獨立架構	與花器結合的架構
植生式架構	裝飾性架構	一次完成架構	兩階段完成架構

■ 造形元素　■ 材料元素　■ 型態元素

製作步驟

1. 使用新鮮有彈性的降天桑樹枝，略彎出弧度後，交錯卡在花器口。

2. 慢慢將降天桑一枝枝綁在卡好的樹枝上，逐漸形成一結構體。

3. 注意線條的疏密變化。仔細欣賞枝條姿態，具有特色的線條要留到最後再綁上，才能保留其特色。

製作協力／洪立偉

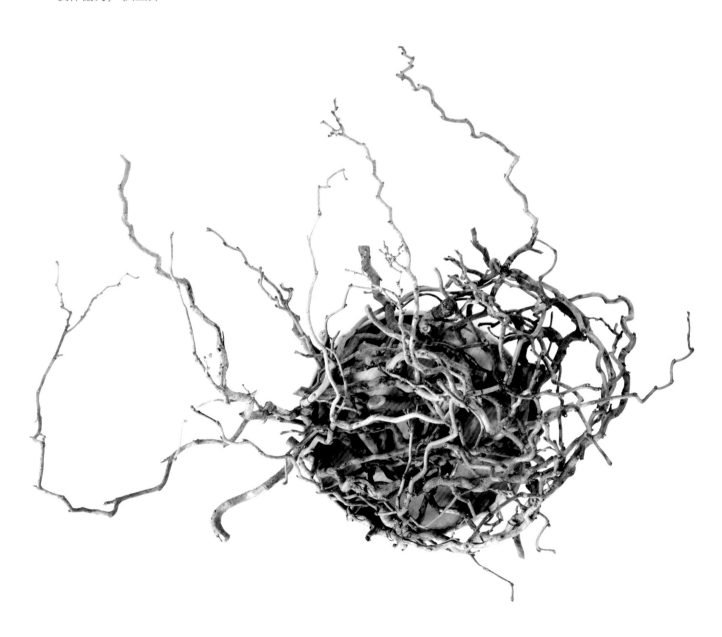

設計作品　A

作品設計理念＆色彩搭配概念

小手毬滑順的彎弧線條、枝條上茂密的花朵，與降天桑的曲折枯槁恰成對比，突顯出各自的特色。配合小手毬的濃濃春天氛圍，搭配多彩的繡球與陸蓮花，讓爛漫春光充滿整個作品。

特意挑選了一枝藍色中暈染了墨綠和桃紅，色彩多變繽紛的繡球，因此其他材料的色彩選擇，就以繡球分析出的顏色為主。桃紅、白色帶墨紫邊的陸蓮，呼應主花的繡球色彩。陸蓮白色的內層，也和外層的小手毬色彩相應和。

花材

粉藍色繡球・小手毬・陸蓮

製作步驟

1. 將繡球以卡的方式安排在中間偏左的位置上，作為視覺焦點。

2. 仔細觀察小手毬的姿態，依花面向上的原則，安排適合的伸展方向與位置，注意層次與長短變化，表現律動感。

3. 若材料能穩定卡在架構隙縫中，不必強加鐵絲綑綁。但小手毬線條較長，重心易不穩，綑綁的次數會較多，力求穩固。

4. 加上兩色陸蓮以呼應小手毬與繡球的色彩，並增加花形的變化。

設計作品 B

作品設計理念＆色彩搭配概念

分析降天桑本身的色彩，以黃色為主色調的搭配。時值秋天，大芒草毛絨絨的質感具有深秋韻味，同質感的白色帝后花作為視覺焦點，黃文心蘭、黃綠色的非洲鬱金香和黃色牛角茄帶來金秋詩韻。以直線對比降天桑的曲線，突顯各自線條的特色。

花材

白色帝后花．黃色非洲鬱金香．文心蘭．牛角茄．大芒草

製作步驟

1. 大芒草長度取花器寬加高的兩倍，布局在中央偏左後的位置，與降天桑向右延伸的線條作量感平衡。

2. 白色帝后花朝前方45°角成為視覺焦點，另一朵在左上側作陪襯。

3. 陽光非洲鬱金香略低於芒草，增加直立線條的多樣與豐富性。

4. 牛角茄與文心蘭在焦點兩側陪襯，依素材本身特質，文心蘭可表現跳動線條，牛角茄則堆疊並表現出疏密。

11 幻彩

紫仁丹 × 架構盤花

難易度／✿✿✿

果實類的材料造型可愛迷人，
紫仁丹的色彩尤其浪漫特殊，如夢似幻。
大量的紫色果實形成細膩質感，
以及因成熟度不同而產生的色彩變化。

架構設計理念

以卡的技巧設計架構，需選擇有邊可卡住枝條的花器最為恰當。

水平發展成不對稱的造型，留空的中間部分，

除了重複的弧線造型，更多的想像與可能亦在其中。

工具

枝剪・平口鉗・鐵絲・花剪

架構素材

紫仁丹・粗枝米柳

架構技巧

主要技巧：卡

輔助技巧：綑綁

架構特色

季節性果材運用

運用類別

規則幾何圖形	不規則	立體	平面
層疊	半圓形	球形	月眉形
三角錐形	長方形	正方形	自然素材
加工後自然素材	非自然素材（異材質）	可持續生長	可乾燥不變形
枝材	葉材	藤柳類	果材
環保素材	創意加工	獨立架構	與花器結合的架構
植生式架構	裝飾性架構	一次完成架構	兩階段完成架構

■ 造形元素　　■ 材料元素　　■ 型態元素

製作步驟

1. 粗米柳稍微彎出弧度,比花器稍長1公分左右剪斷,撐在盆口內側,卡好固定,直到米柳布滿盆口為止。

2. 紫仁丹插入米柳空隙內卡住,確認穩定。不太穩定的素材仍需以鐵絲綑綁固定。

◆圖解步驟請見*P.132*

設計作品 A

作品設計理念 & 色彩搭配概念

繡球延伸了紫仁丹的浪漫，也增添了華麗氛圍。絲菊和紫薊加上色彩與質感的變化，大面積的火燭葉則是視覺休息的空間，低彩度的墨綠繡球，對比其他色彩的鮮豔，也是紫仁丹未熟果實色的呼應。

花材

紫繡球・藍繡球・墨綠繡球・粉絲菊・紫薊・火燭葉

製作步驟

1. 繡球以不規則層疊的方式，卡在盆口的柳條縫隙中。

2. 紫薊裝飾於繡球旁，增加變化。

3. 粉絲菊以疏密不一的方式分布在作品中。

4. 最後以火燭葉穩定作品重心，並增加形狀的變化，成為
視覺休息的空間。

設計作品　B

作品設計理念 & 色彩搭配概念

華麗之外，若你見過紫仁丹在山野裡的樣貌，必定也了解她自然可人的氣質。
以桔梗交錯的線條表現作品張力，避免中間過於薄弱，亦呈現自然感，俯視仍
保留更多米柳的平行線條，表現另一種清麗的特色。

花材

粉絲菊、紫桔梗、白乒乓菊、白玫瑰、火燭葉

製作步驟

1. 先將白乒乓菊及白玫瑰以疏密不一的方式分布在架構上。

2. 粉絲菊略高於乒乓菊的層次，此時火燭葉要先插上。

3. 紫桔梗在架構上先點綴幾朵，主要在架構上方拉出交錯線條，連結左右兩側
　　紫仁丹的線條與空間，為不填滿且具有透視感的表現手法。

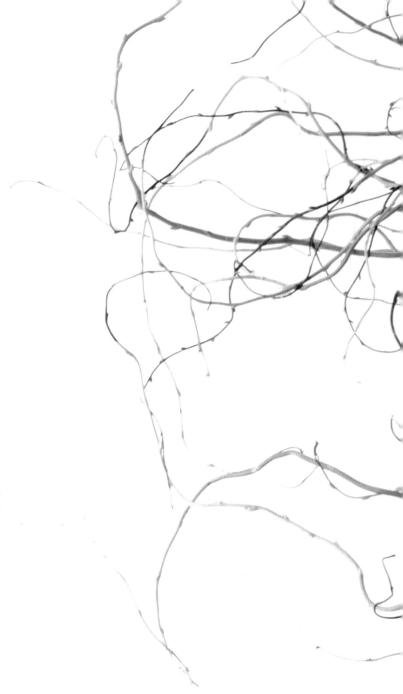

縈繞

雲龍柳×架構盤花

難易度／✿✿✿✿✿

如同她的名，
輕煙裊裊、雲霧繚繞，
似龍騰飛昇，
如氤氳飄渺。
只不過每每在課程中使用時，
都喜歡她易塑型的特性，
使得這些難得的線條都纏繞在架構中，
失去了特質，
為人作嫁。
這次只想還她一個原本，
作自己，最美！

架構設計理念

雲龍柳在花市，一年四季都有供應，花藝人對她都不陌生。

一提到柳枝類材料，容易塑造可彎折的特性馬上浮上心頭，

創作的契機經常是推翻既有的刻板印象，

於是乎就定調表現她原有的直立帶連續彎曲的線條。

為此，尋覓著與她匹配的花器。

色調、線條一致，架構完成時，即是一款令人舒心的作品，

亦可只點綴一、兩朵特別的花朵，彷如禪境。

靜靜等待綠芽生成時，別具況味。

工具

剪刀‧花剪

架構素材

雲龍柳

架構技巧

主要技巧：卡

輔助技巧：纏繞‧綑綁

架構特色

可持續生長的架構

運用類別

規則幾何圖形	不規則	立體	平面
層疊	半圓形	球形	月眉形
三角錐形	長方形	正方形	自然素材
加工後自然素材	非自然素材（異材質）	可持續生長	可乾燥不變形
枝材	葉材	藤柳類	果材
環保素材	創意加工	獨立架構	與花器結合的架構
植生式架構	裝飾性架構	一次完成架構	兩階段完成架構

■ 造形元素　　■ 材料元素　　■ 型態元素

製作步驟

1. 將雲龍柳繞成圈狀卡在花器口，在每一圈的自然
   縫隙插入垂直柳枝。

2. 選擇瓶口造型垂直等寬的花器較適合，示範花器
   本身的紋路恰巧呼應了雲龍柳的型與色。

3. 整理雲龍柳的線條，圍繞在花器周圍垂直表現，
   前方空間不插，以表現中央水面。

4. 雲龍柳吃水部分可生根發芽，形成可持續生長的
   架構，長時間觀賞會有不同的樣貌，是此架構迷
   人之處。

◆圖解步驟請見P.132

製作協力／李宛芸

架構/12

技之三

卡

作品設計理念＆色彩搭配概念

以雲龍柳的黃綠色作為主色，取金花石蒜的黃＆綠絲菊的綠與之搭配，加上文心蘭鮮亮的黃、綠小菊的淺綠，使色彩在同系統中略帶深淺變化。

花材

金花石蒜・文心蘭・綠絲菊・綠小菊

製作步驟

1. 先將文心蘭線條安排出高低層次，插在中段高度上，金花石蒜則略低於文心蘭，布局時要注意疏密感，並且略為保留中間空間，使作品有穿透感。
2. 綠絲菊量感較重，只插三朵，綠小菊呼應，並作出大小的造型變化。

設計作品 B

作品設計理念＆色彩搭配概念

有別於作品A的同色調，此款試圖搭配較多的暖色調與綠色對比，讓色彩有大幅度的變化。以大芒草如雲霧的質感，烘托雲龍柳的造型特色。

花材

大芒草‧姬菖蒲（射干菖蒲）‧橘色水仙百合‧綠絲菊‧橘雞冠花‧香檳色進口康乃馨

製作步驟

1. 大芒草卡在花器口的雲龍柳縫隙之間，呈疏密表現，姬菖蒲在芒草的柔細質感中陪襯，更顯花型的精緻。

2. 中段高度以橘色水仙百合、橘雞冠、香檳色康乃馨混合表現，增加花型與花色的變化。

3. 綠絲菊在底部穩定重心，以呼應雲龍柳與花器的顏色。

扶搖

降天桑×架構瓶花

難易度／🌸🌸🌸

每一枝降天桑都有著不同的曲線特色，
一枝枝拿起時，
都可端詳良久。
一群降天桑聚集之後 ——
那無聲的喧鬧，
你聽見了嗎？

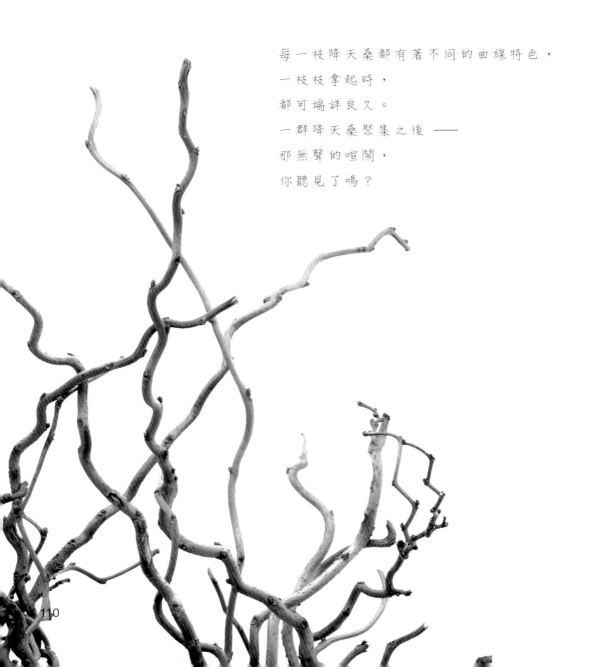

技之三

卡

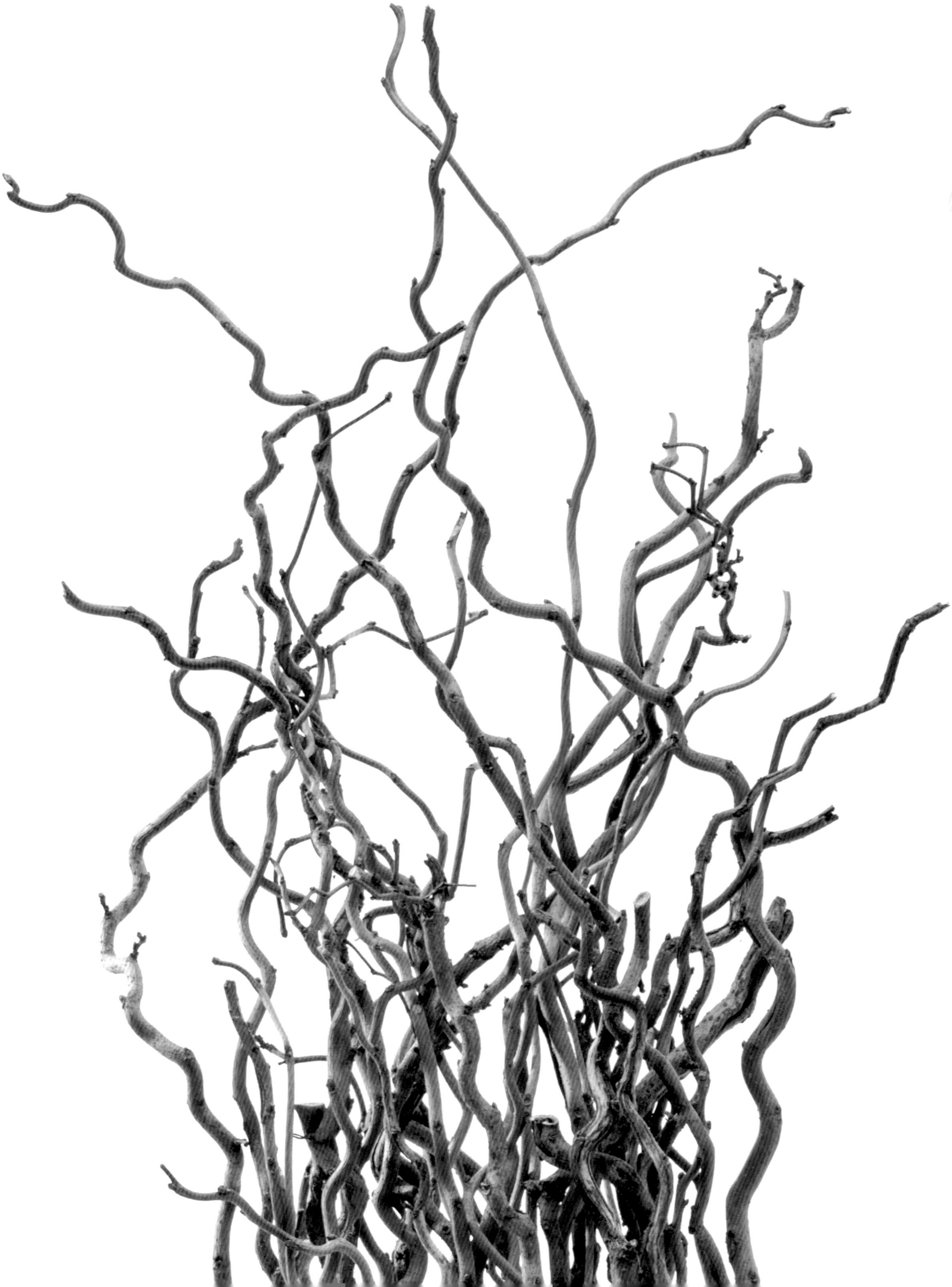

架構設計理念
降天桑的波浪紋，恰巧呼應了花器的紋路。

延續花器的型態，將素材以直上的方式表現，

簡約俐落，突顯材料特性。

工具
鐵絲・試管・平口鉗・花剪

架構素材
降天桑

架構技巧
主要技巧：卡

輔助技巧：試管技巧

架構特色
架構素材與花器的質感搭配

運用類別

規則幾何圖形	不規則	立體	平面
層疊	半圓形	球形	月眉形
三角錐形	長方形	正方形	自然素材
加工後自然素材	非自然素材（異材質）	可持續生長	可乾燥不變形
枝材	葉材	藤柳類	果材
環保素材	創意加工	獨立架構	與花器結合的架構
植生式架構	裝飾性架構	一次完成架構	兩階段完成架構

■ 造形元素　　■ 材料元素　　■ 型態元素

製作步驟

1. 將大量的降天桑枝條投入花器內，形成一個不規則的結構體。因花器尺寸不小，為免換水不易，因此在架構內卡進大試管，作為供給花材水分的小花器，方便換水或加水。

2. 部分降天桑線條表現在花器外側，綑綁固定在花器內的素材，將架構形態延伸到花器外。

3. 懸垂於花器側邊的素材預先綁上試管，以利花色的空間延伸。

4. 試管也可在加上鮮花素材時，再依需求卡入。

設計作品 A

作品設計理念 & 色彩搭配概念

分析降天桑本身的色調，一部分材料與架構顏色呼應，另一部分取同色調中較鮮豔的橘紅色與架構本身的灰色調，作同色系的彩度對比，呈現協調中不失變化的演繹。

花材

卡布奇諾色玫瑰・普洛提亞・魔鬼鬱金香・橘色鬱金香・千代蘭・淡粉桔梗。

製作步驟

1. 試管內加水，順著架構線條的走向先安排好魔鬼鬱金香的線條，可以利用架構的隙縫卡住，或是略加鐵絲綑綁固定。

2. 普洛提亞作為視覺中心焦點，卡布奇諾玫瑰則是近內層的分布，呼應架構的色彩。

3. 橘色鬱金香增加線條量感，千代蘭增加色彩變化，並延續色彩到花器瓶身。

設計作品 B

作品設計理念＆色彩搭配概念

球薑的色彩與降天桑近似而協調，再以黃綠的非洲鬱金香和俗稱山蘋果的花
材，營造大地色調的靜謐氣息。

花材

球薑・陽光非洲鬱金香・山蘋果

製作步驟

1. 球薑以斜對角排列至瓶身高度，略有疏密。

2. 非洲鬱金香在其他空間點亮色彩。

3. 以山蘋果的點狀造型增加花型大小的變化，並妝點空間。

變奏
A

蛻變

實用生活作品運用 一

難易度／✿✿✿

架構設計理念

平日課程裡大量使用的雪松、絲柏這類材料，

剪去綠色葉片後留下的木質莖通常都是進了垃圾桶。

仔細觀察，木質莖除了帶有濃濃的松香味和蒼勁有力的線條美之外，

剝去樹皮後呈現米黃光滑的質地，

彷彿脫胎換骨般呈現出與原本完全不同的樣貌。

工具

試管・花剪

架構素材

雪松・絲柏・扁柏或黃金柏樹枝

架構技巧

主要技巧：卡

輔助技巧：試管技巧

架構特色

廢棄素材的再製利用

製作步驟

1.將松柏類木質剝去外皮後，剪成長短不一的尺寸。

2.步驟1處理好的素材，以具有高低變化的方式填滿花器內部。

3. 可將試管卡在架構內，花材使用會更有彈性。

◆圖解步驟請見P.133

運用類別

規則幾何圖形	不規則	立體	平面
層疊	半圓形	球形	月眉形
三角錐形	長方形	正方形	自然素材
加工後 自然素材	非自然素材 （異材質）	可持續生長	可乾燥不變形
枝材	葉材	藤柳類	果材
環保素材	創意加工	獨立架構	與花器結合的架構
植生式架構	裝飾性架構	一次完成架構	兩階段完成架構

■ 造形元素　■ 材料元素　■ 型態元素

設計作品

作品設計理念 & 色彩搭配概念

布朗尼鬱金香、卡布奇諾玫瑰、澳洲茶樹葉的色彩，均為呼應架構色彩而搭配。藍星花和紫玫瑰是配合花器的灰藍色，紫紅色調的聖誕玫瑰則結合了架構的暖色和花器的冷色。

花材

布朗尼色鬱金香‧紫紅羽毛鬱金香‧卡布奇諾玫瑰‧澳洲茶樹葉‧紫玫瑰‧藍星花‧聖誕玫瑰

製作步驟

1. 以兩色鬱金香拉出向上線條，延伸架構的線條感。
2. 兩色玫瑰安排在架構之間，成為底部視覺焦點。
3. 澳洲茶樹葉向左延伸作品寬度。
4. 藍星花和聖誕玫瑰點綴其間。

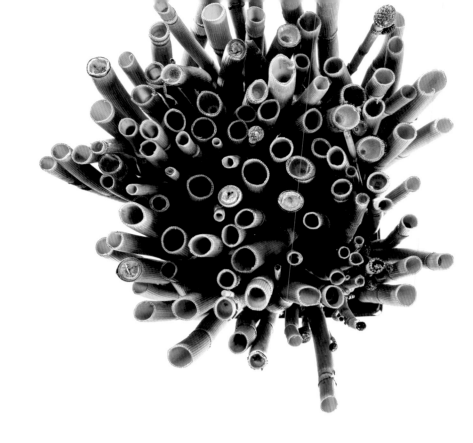

節節高升

實用生活作品運用 二

難易度／🌸🌸

架構設計理念

木賊其實是鄉間荒地常見的野生素材，富有節奏感的莖節和可乾燥的特性，

十分適合作為架構使用，空心的質地使得架構更具彈性。

工具

橡皮筋・花剪

架構素材

木賊

架構技巧

主要技巧：卡

輔助技巧：束

架構特色

草本植物的運用

製作步驟

2. 可將木賊以橡皮筋束成一束再放入花器，更易於掌控。

3. 餘下空間再以單枝木賊插滿花器。

◆束的技巧請參考P.252「架構27　水漾／蒲葉×盤花設計」圖解步驟

運用類別

規則幾何圖形	不規則	立體	平面
層疊	半圓形	球形	月眉形
三角錐形	長方形	正方形	自然素材
加工後自然素材	非自然素材（異材質）	可持續生長	可乾燥不變形
枝材	葉材	藤柳類	果材
環保素材	創意加工	獨立架構	與花器結合的架構
植生式架構	裝飾性架構	一次完成架構	兩階段完成架構

■ 造形元素　　■ 材料元素　　■ 型態元素

設計作品

作品設計理念＆色彩搭配概念

進口紅水木與木賊的綠恰成對比，紅水木上的綠芽更是亮點，讓作品洋溢著生命力。花器的黑與白突顯時尚風格，白大理花與暗紅大理花為呼應花器的黑與白。

花材

進口紅水木・白大理花・紅大理花

製作步驟

1. 紅水木卡進木賊之間的縫隙，延續架構動態，表現向上之姿。

2. 黑色花器上方安排白大理花，白花器上方安排暗紅大理花，各自呼應花器顏色。

3. 紅水木長出綠芽之後，令人更加感到生命蓬勃喜悅的氣氛，日日皆可觀察作品生長後的變化，十分有趣。

蒲葵果枝×架構盆花

熱力四射

14

難易度／❀❀

每個星期帶領孩子們的小學社團課，
儼然是我們的校園尋寶時光。
當我還在蒲葵樹下思考著滿地掉落的果實
可以如何運用時，
孩子們找到這些被志工清到角落的果枝問我名字，
我讓他們比對還留在樹上，掉了大半果實的枝條，
迅速的找到答案。

同時，似曾相似的造型在腦海中翻騰著，
卻怎麼也不復記憶……
隨著年齡增長的失憶現象似乎愈發習慣了，
那就先撿回來再說吧！

架構設計理念

曲折又布滿蒂梗的線條，我也是第一次使用。

外文書上曾經出現過類似材料，但市場上無人販售，只能靠自己採集。

只要使用過一次，一定會驚訝於她的特性，不用綁，不用纏，

只要靠在一起稍微施壓，自然糾結在一起，想拆都難，極容易製作架構。

工具
花剪

架構素材
蒲葵果枝

架構技巧
主要技巧：卡

架構特色
特殊少見的材料運用

運用類別

規則幾何圖形	不規則	立體	平面
層疊	半圓形	球形	月眉形
三角錐形	長方形	正方形	自然素材
加工後自然素材	非自然素材（異材質）	可持續生長	可乾燥不變形
枝材	葉材	藤柳類	果材
環保素材	創意加工	獨立架構	與花器結合的架構
植生式架構	裝飾性架構	一次完成架構	兩階段完成架構

■ 造形元素　　■ 材料元素　　■ 型態元素

製作步驟

1. 剪掉蒲葵果枝下段沒有分枝的段落，兩、三枝靠近稍用力即可糾結成一個架構。

2. 將架構壓入花器內，分枝即可卡在花器內，穩定不鬆動。

設計作品

作品設計理念&色彩搭配概念

架構素材其實是枯槁的殘枝,色調或氣質都略帶沉悶,因
此使用大量的維他命色調帶出整體活力,彷彿新生。唯內
側少許的古典紅康乃馨稍作調合,表現內斂氣質,讓奔放
狂野的線條,多了沉穩的基礎。

工具

金杖槌・迷你橘太陽花・香檳玫瑰・古典紅康乃馨・淺橘
色康乃馨・綠小菊・橘樹蘭・紅樹蘭

製作步驟

1. 花材由低而高一一卡進蒲葵果枝架構的縫隙中。古典紅
   和茶色的美國進口康乃馨作出疏密略有層次的姿態,即
   使是投入,也要令花腳呈現中心點向外放射的姿態。

2. 再高一點的層次,安排香檳玫瑰和橘色迷你太陽花。

3. 最後是大量的金杖槌,像跳躍的小乒乓球一樣,放射狀
   卡在架構內,高低跳躍呈現律動感。

圖 解 步 驟

架構/11 幻彩／紫仁丹×架構盤花　P.97

1. 比花器長1公分的米柳粗枝，彎出弧度後，並排卡在盆口兩側。

2. 紫仁丹插入米柳空隙內，穩定卡住。

3. 綑綁時，不僅固定點要上下前後錯開，枝條莖部與末稍方向也要錯開，讓整體重量平均。

4. 完成架構。

架構/12 縈繞／雲龍柳×架構盤花　P.105

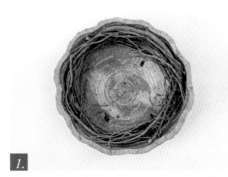

1. 將雲龍柳按摩後繞成圈狀，卡在花器口。

2. 約2至3圈的分量即可，每一圈之間自然產生的縫隙，就是卡住垂直花材的位置。

3. 如圖示將垂直枝材插入縫隙間，卡住固定。

4. 完成架構。

步驟 *1.*

按摩無用的粗枝如何繞成圈？

續斷法示範影片

步驟 *3.*

如何卡的又直又穩？

盤花卡的技巧示範影片

架構/13　變奏A　蛻變／實用生活作品運用一　P.119

1. 修剪後棄置不用的松柏類木質莖。

2. 由下而上剝除外皮。

3. 外皮剝除乾淨的光滑枝條。

4. 將樹枝垂直插滿花器，並卡入兩、三枝小試管。

編織方式

*1.*縱橫交錯規則方式：以一上一下規律整齊的縱橫交錯方式，形成一個結構面或立體結構的技巧皆

可歸類於此。

*2.*不規則上下穿梭編織：同樣是上下交錯進行編織，但是穿梭頻率和間距卻為不規則的形式。

*3.*麻花瓣：如同麻花瓣的髮型般，以三股線狀素材編成瓣子狀。

*4.*鉤織技巧：運用毛線鉤織的技巧，將細銅絲線作成如織物般的異材質架構，在銅絲織物上面黏貼

花材製成身體花飾，或作為較柔軟的新娘捧花架構。

*5.*其他任何與上下穿梭有關的創新編織技巧。

技之四
編織。

「只要有上、下穿梭交錯
的技巧存在，都可廣義的
界定在花藝編織技巧的範
圍內。」

　　編織在手工藝方面的發展可說是十分多元和精緻，一
般而言，所用的素材多為加工後的藤、柳或棉、麻、毛等
各式線材，民俗工藝的竹編亦發展出極具藝術性的工藝創
作。而在花藝設計運用此技巧，多半是採用全植物素材製
作，也有搭配異質素材進行，使用素材雖然不同，但操作
概念是雷同的。只要有上、下穿梭交錯的技巧存在，都可
廣義的界定在花藝編織技巧的範圍內。

　　常用於此技巧的植物性素材有珠簾（錦屏藤）、蒲葉
絲、拉菲草、稻草等長條狀植物；異材質則多用細銅線、
鐵絲、鋁線等。

　　若想在編織部分擁有更多的創意激盪，不妨參考手工
藝類的中國結、繩結、竹編等作法，轉換成花藝用自然素
材，必有一番嶄新的創意發想。因此結合各類編織技巧與
植物素材的創作，必定還有廣闊無窮盡的發展空間。

織夢

木賊 × 架構式新娘捧花

難易度／✿✿✿

古老的印地安傳說，
相信夜空中充滿各種夢幻，
捕夢網可以過濾惡夢，帶領他們進入美麗的夢鄉。

這專屬於愛情的捕夢網，
和水滴型的結合，
祈願一個擁抱美夢的伴侶關係，
幸福永遠。

Flower Arrangement

架構/15

技之四
編織

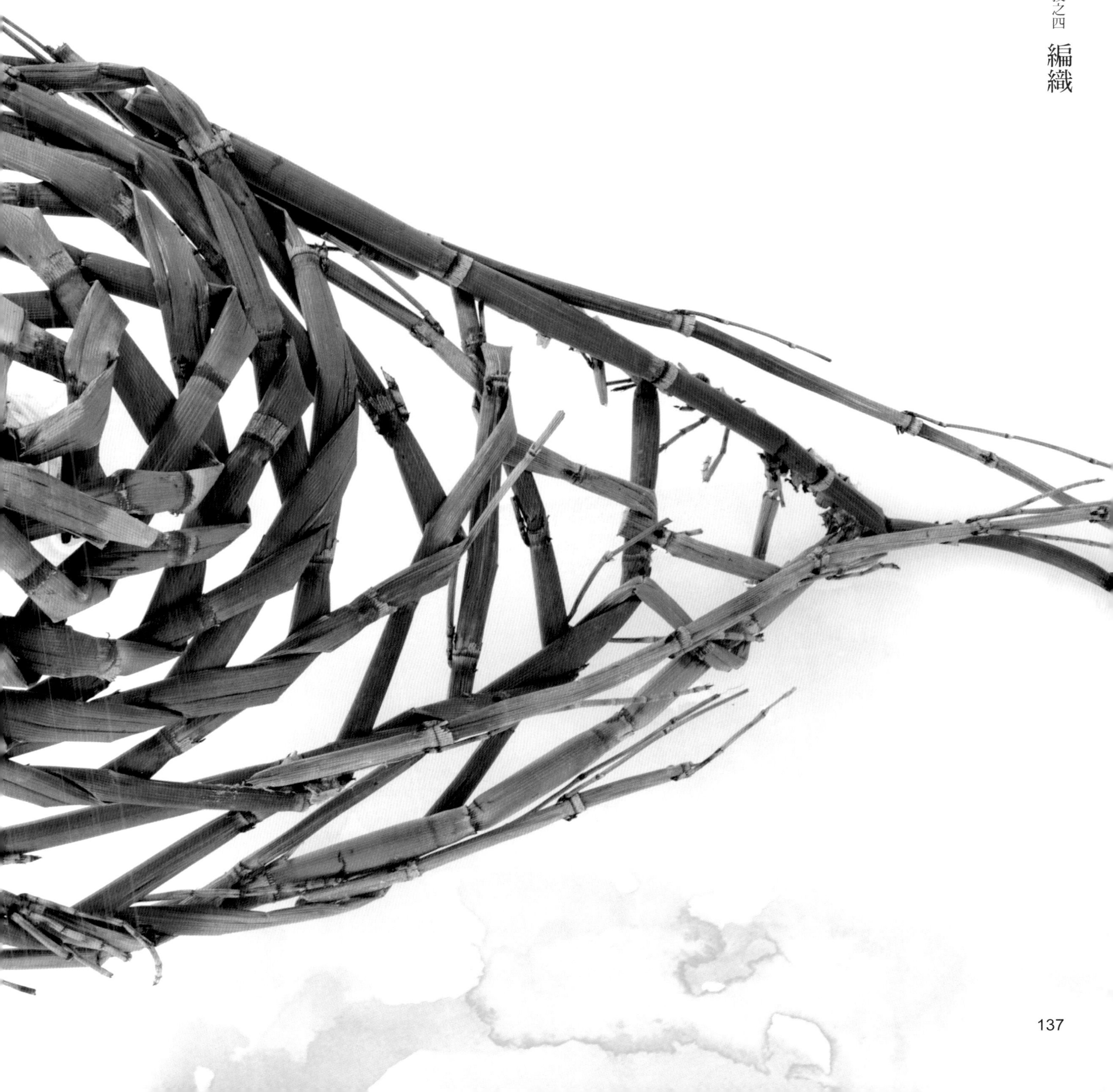

架構設計理念

源自捕夢網與水滴的概念，嘗試創作的架構式新娘捧花。

以青翠柔軟的木賊，編織成水滴型的網狀，構築出規律的架構空間，

既是新娘捧花，亦可成為花束的基座。

工具

#20加長鐵絲・花剪

架構素材

木賊

架構技巧

主要技巧：編織

架構特色

改變素材特性的架構製作

運用類別

規則幾何圖形	不規則	立體	平面
層疊	半圓形	球形	月眉形
三角錐形	長方形	正方形	自然素材
加工後自然素材	非自然素材（異材質）	可持續生長	可乾燥不變形
枝材	葉材	藤柳類	果材
環保素材	創意加工	獨立架構	與花器結合的架構
植生式架構	裝飾性架構	一次完成架構	兩階段完成架構

■ 造形元素　　■ 材料元素　　■ 型態元素

技之四
編織

製作步驟

1. 取20號裸線加長鐵絲，穿入木賊中。

2. 預留捧花手把長度後，往外折下木賊。在5、6公分處折向鄰
　　枝上方，呈交叉重疊狀，依序進行一圈。

3. 折點與每一圈最後穿入固定時要注意，不可折到木賊的節，
　　以免斷裂。

4. 以相同手法編織第二圈，繼續擴大至所需面積為止。

◆圖解步驟請見*P.162*

製作協力／林長樺

設計作品

作品設計理念＆色彩搭配概念

典雅端莊是設計新娘捧花時最常用的風格，因此色彩上仍以架構的綠色調為主，以精緻的蝴蝶蘭作為主要花材，桃紅色花心恰成跳色對比，份量剛好，協調中不失變化。動感的百萬心線條與伯利恆小花的點綴，為作品增添細緻與輕巧。保留較多架構的空間感，呈現捕夢網的意念。

花材

綠花紅心蝴蝶蘭・伯利恆之星・百萬心

製作步驟

1. 蝴蝶蘭花朵剪下泡水，等吃足了水分再進行黏貼，先以花膠封住切口，以免水分散失。

2. 將蝴蝶蘭黏貼在木賊架構上，焦點略偏右側，站在黃金切割點上，呈現疏密略重疊的分布，並向下延伸營造出律動感。

3. 左後方一小組蝴蝶蘭與主要動線達成呼應，控制整體平衡。

4. 伯利恆之星點綴在作品中，增加花型大小的變化。

5. 百萬心增添垂墜線條，製造新娘行進時的動感。

6. 伯利恆之星黏貼在百萬心的葉片上，延續架構上的花材花色，作品整體感更佳。

神祕的波西米亞

蒲葉絲×空間吊飾

難易度／✿✿✿

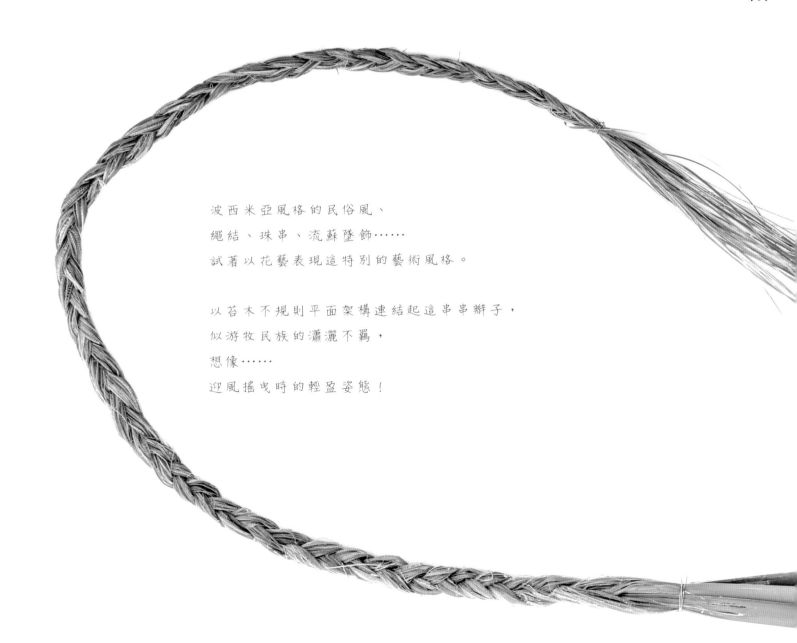

波西米亞風格的民俗風、
繩結、珠串、流蘇墜飾……
試著以花藝表現這特別的藝術風格。

以苔木不規則平面架構連結起這串串辮子，
似游牧民族的瀟灑不羈，
想像……
迎風搖曳時的輕盈姿態！

架構設計理念

錦屏藤（花材名：珠簾）在市場中並非常見，學習了蒲葉刷的技巧之後，在找不到珠簾時，亦可製作出類似珠簾質感的材料，新鮮時的翠綠和乾燥後的米黃，與紅色珠簾的色彩雖不相同，但似乎更有創意揮灑的空間。

工具

劍山・平口鉗・鐵絲・銅絲線・花剪

架構素材

蒲葉・苔木

架構技巧

主要技巧：編織

輔助技巧：綑綁・刷

架構特色

改變素材原本的樣貌

運用類別

規則幾何圖形	不規則	立體	平面
層疊	半圓形	球形	月眉形
三角錐形	長方形	正方形	自然素材
加工後自然素材	非自然素材（異材質）	可持續生長	可乾燥不變形
枝材	葉材	藤柳類	果材
環保素材	創意加工	獨立架構	與花器結合的架構
植生式架構	裝飾性架構	一次完成架構	兩階段完成架構

■ 造形元素　■ 材料元素　■ 型態元素

製作步驟

1. 以劍山將蒲葉一片片刮成絲狀。

2. 集成一小束之後,以編織三股辮的技巧編
   織絲狀蒲葉,完成蒲葉辮子裝飾。

3. 將苔木綁成不規則平面架構。

4. 將蒲葉辮子架構綁在苔木架構下方,呈疏
   密長短的分布即完成。

◆圖解步驟請見*P.163*

製作協力/林長樺

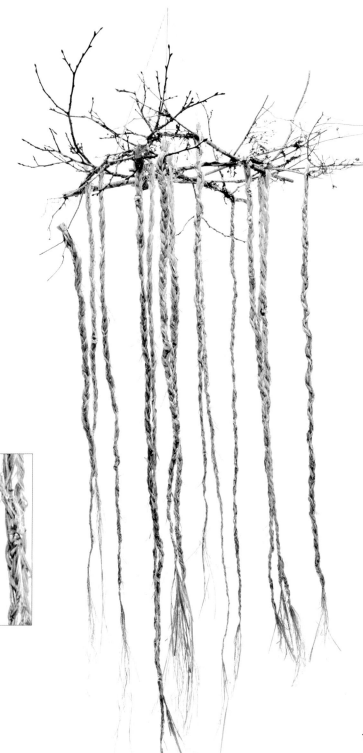

設計作品

作品設計理念＆色彩搭配概念

配合大地色調及游牧民族特有的熱情色彩，以橘紅為主色調，麥桿菊少數的淡粉與桃紅增加色彩變化。

花材

麥桿菊‧千代蘭‧芒萁‧金杖槌

製作步驟

1. 將麥桿菊黏貼於蒲葉辮子架構上，呈疏密混合，少量的對比色要注意對角呼應，安排在左上右下或右上左下的位置，以顧及色彩平衡。

2. 金杖槌以銅絲線串在每一個辮子架構下，增加律動與輕巧跳躍的氣氛。

3. 芒萁黏貼在苔木架構上，呈不規則交錯，增加吊飾頂端的量感及變化。

4. 最後黏貼千代蘭花朵，增加作品的潤澤度。在大量的乾燥花材中，具有水分的花材會明顯製造質感對比，花朵壽命雖不若乾燥花材持久，但是在重要展示時段黏上，可豐富視覺效果。

樂舞

斑春蘭葉 × 架構式新娘捧花

難易度／✿✿✿✿✿

年年帶著孩子們欣賞雲門的戶外公演，
「狂草」結合書法藝術以肉身運筆，
而我以春蘭葉編織的葉片運筆。
舞蹈的迴旋之姿，構築了這作品的造型。
旋轉跳躍，
彷彿見著了女兒與同學們的舞作，
青春的純真不羈，
盡情揮灑！

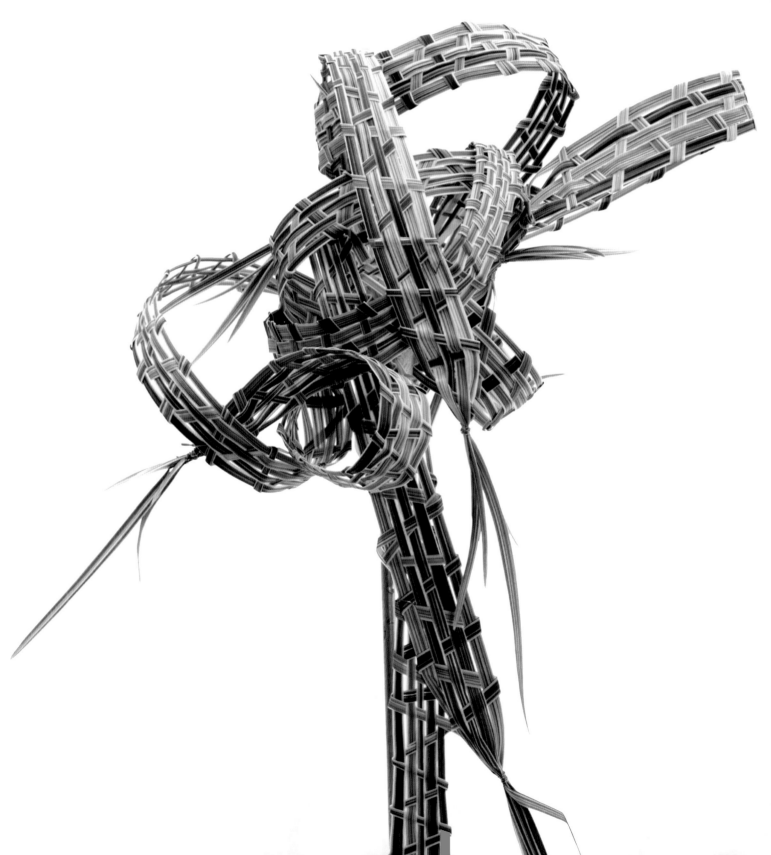

架構設計理念

斑春蘭葉編織成片狀架構，

質地細緻，色彩輕盈。

迴旋彎曲成不同的造型，

組合成一個具有空間感＆律動感的新娘捧花架構，

修長的整體造型在細膩中又別具個性。

工具

銅絲線・鐵絲

架構素材

斑春蘭葉

架構技巧

主要技巧：編織

輔助技巧：捲

運用類別

規則幾何圖形	不規則	立體	平面
層疊	半圓形	球形	月眉形
三角錐形	長方形	正方形	自然素材
加工後自然素材	非自然素材（異材質）	可持續生長	可乾燥不變形
枝材	葉材	藤柳類	果材
環保素材	創意加工	獨立架構	與花器結合的架構
植生式架構	裝飾性架構	一次完成架構	兩階段完成架構

■ 造形元素　■ 材料元素　■ 型態元素

製作步驟

1. 將一小束的斑春蘭葉，以穿線編織的方式，製作成片。

2. 製作所需數量的編織物零件。

3. 將一片片的編織物加上鐵絲腳，或捲，或直，或作成圈的造型。

4. 依照設計，組合成架構。

◆圖解步驟請見P.164

製作協力／陳姿璇

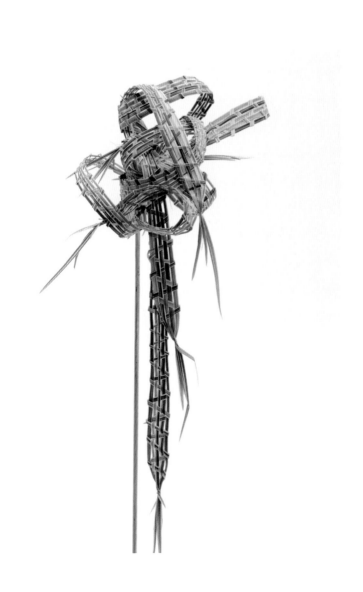

設計作品

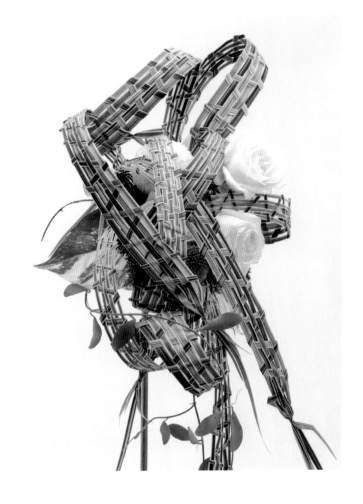

作品設計理念＆色彩搭配概念

斑春蘭葉的白綠色是作品基調，為突顯架構的細膩手法，色彩不宜過度搶眼，以維持新娘捧花優雅的氣質。

花材

白玫瑰・綠雞冠・白乒乓菊・綠乒乓菊・巨幣葉・黃金葛・雪松

製作步驟

1. 綠雞冠和白乒乓菊安排在底部較低矮的高度，新娘捧花是細緻的花藝作品，無論從任何角度欣賞，都要有迷人的風景。

2. 作為視覺焦點的白玫瑰，一部分安排在底部，另一部分略有高度，高低律動要呼應架構的層次。架構密集部在左側，白玫瑰就多一點在右側，達成整體平衡。

3. 巨幣葉作出下垂線條，增加動感，也呼應架構線條。

4. 黃金葛作為底葉收尾。

5. 所有材料決定好布局與長度後，均要上鐵絲組合成完整作品。

月色迷離

米柳×球型架構盤花

難易度／🌸🌸🌸🌸

中 華 文 化 中 ，
一 直 對 月 亮 有 著 特 殊 的 情 感 。
詩 詞 民 謠 中 ，
頌 月 的 作 品 不 少 ；
神 話 故 事 中 ，
諸 多 想 像 也 令 人 神 魂 顛 倒 ，
沉 醉 其 中 。
那 麼 若 是 使 用 架 構 花 藝 的 手 法 ，
又 能 如 何 表 現 月 的 迷 人 ？

架構設計理念

以立體構成的方式，將米柳綑綁成球型架構。

保留部分鏤空的架構可以產生透視感，並可在架構內部置入漂浮的花，

想像花朵漂浮水面游移帶著仙氣，悠然自在。

工具

平口鉗‧鐵絲‧花剪

架構素材

米柳

架構技巧

主要技巧：編織

輔助技巧：綑綁

架構特色

具有透視感的架構

運用類別

規則幾何圖形	不規則	立體	平面
層疊	半圓形	球形	月眉形
三角錐形	長方形	正方形	自然素材
加工後自然素材	非自然素材（異材質）	可持續生長	可乾燥不變形
枝材	葉材	藤柳類	果材
環保素材	創意加工	獨立架構	與花器結合的架構
植生式架構	裝飾性架構	一次完成架構	兩階段完成架構

■ 造形元素　　■ 材料元素　　■ 型態元素

製作步驟

1. 按摩米柳枝條作出弧度後，繞成圓形以鐵絲綑綁固定。

2. 先以三個圓鐵絲綑綁成主要的立體架構，再以上下編織技巧
加入其他枝條。

3. 在立體架構的表面上下穿梭編織時，要注意線條必須錯開，
不可將三枝條交集於同一點上。

4. 保留一小部分空間不上線條，枝條末梢也不必硬性束緊，讓
架構看得出球體，但仍擁有自然的線條裝飾即可。

◆圖解步驟請見*P.165*

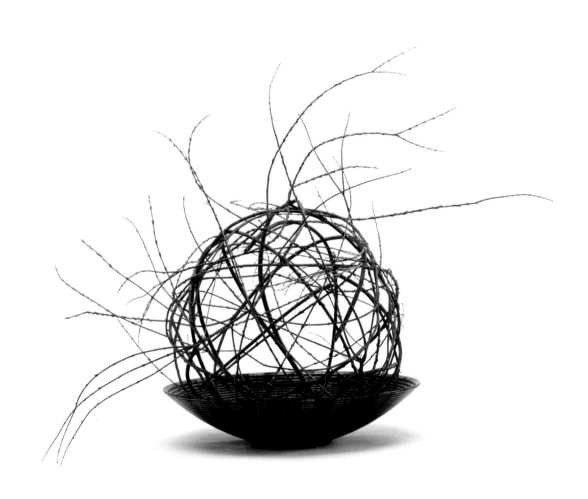

設計作品 A

作品設計理念 & 色彩搭配概念

以月亮的代表色——黃色為主色調。加入金黃色增加深淺變化,粉色中帶著一抹淺綠的繽紛菊,
為作品添加低調的浪漫氣氛。置於架構中的粉絲菊,亮麗色彩成為作品中的焦點,但仍與繽紛
菊色彩呼應。

花材

文心蘭・金黃色法國小菊・黃色乒乓菊・繽紛菊・亮粉絲菊・綠雞冠

製作步驟

1. 文心蘭由右側向左攀掛在架構上方,表現月色光暈。

2. 繽紛菊與綠雞冠花在架構與花器交接處,堆疊出作品穩定度,黃乒乓菊增加月的寓意並與架構
   造型呼應。

3. 金黃色法國小菊增添色彩變化,並略帶線條向左伸展點綴,以維持整體視覺平衡。

4. 架構中間放入一朵漂浮的粉絲菊,成為視覺焦點。

作品設計理念＆色彩搭配概念

白與綠表現清新月色，運用不同深淺的綠色花材增加色彩變化。

花材

綠繡球・白乒乓菊・綠乒乓菊・綠雞冠花・白色艾莉嘉（歐石楠）・白玫瑰

製作步驟

1. 綠繡球一高一低表現在架構的外側。

2. 綠雞冠堆疊出作品底部的穩定性。

3. 兩色乒乓菊略高於雞冠花，堆疊出層次並呼應架構造型。

4. 白色艾莉嘉攀延在架構上方，添加如月色迷茫的朦朧美。

5. 架構中央放一朵漂浮的白玫瑰，色調與作品協調，但氣質與其他花材迴異，表現遺世獨立之感。

圖 解 步 驟

織夢／木賊×架構式新娘捧花　P.139

1.
每枝木賊內穿20號裸線鐵絲。

2.
距離約兩個拳頭處以透明膠帶束起，暫時固定。

3.
從膠帶處一一往外折下木賊。

4.
木賊全部折下的模樣。

5.
取5、6公分處折向鄰枝上方。

6.
依序折一圈。

7.
折好一圈的模樣。

8.
最後穿入時要注意，不可折到木賊的節，以免斷裂。

9.
以相同手法繼續編織，擴大所需面積，完成捧花架構。

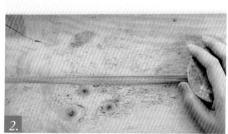

架構 /16　神祕的波西米亞／蒲葉絲×空間吊飾　**P.145**

1.
準備劍山、木板，以及一小束蒲葉。

2.
一手固定蒲葉，另一手拿著劍山將蒲葉刮成絲狀。

3.
將數片蒲葉刮成絲狀的模樣。

4.
處理好的蒲葉集成一小束，上端以銅線纏繞固定。

5.
以編織三股辮的技巧編織蒲葉，一開始要綁得緊一點。

6.
完成一條蒲葉辮子架構。

7.
以相同手法編織所需數量，與苔木架構組合完成。

架構/17 樂舞／斑春蘭葉×架構式新娘捧花　P.151

1.

準備一小束斑春蘭葉（依所需寬度決定數量），先以銅線纏繞固定一端。

2.

其中一片負責穿線編織，先置於上方。其他片葉子排列整齊後，於中間處以透明膠帶暫時固定。

3.

將穿線編織的葉子以一上一下的規則，依序穿過其他五片葉子。

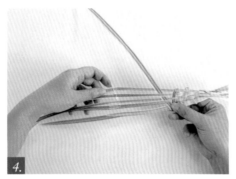

4.

來回進行編織到一定長度後，就可以將膠帶去除。

5.

繼續進行編織，當葉子長度不夠時，可以接上另一片葉子，疊合插入在原本葉子的上方，兩片一起穿線編織。

6.

編織至所需長度後，尾端以銅線固定即完成。

7.

完成一個架構零件的編織物。

8.

製作所需數量，並加上捲與上鐵絲的技巧，組合成架構。

架構/18　月色迷離／米柳×球型架構盤花　P.157

1. 先按摩米柳枝條，作出弧度。

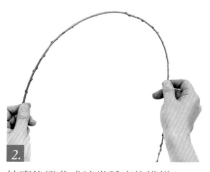

2. 按摩後彎曲成適當弧度的模樣。

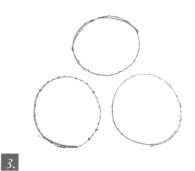

3. 完成三個大小相同的圈。

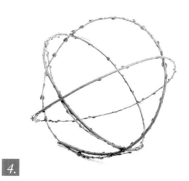

4. 將三個圓組合成主要立體架構。

5. 主架構完成後，開始加入其他枝條。在立體的表面上下穿梭編織，注意線條要錯開，避免三枝交集在同一個點上。

6. 正確編織方式。

7. 錯誤編織方式：三條重疊在一起。

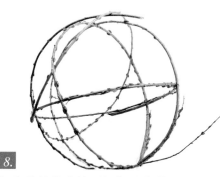

8. 加入的枝條末梢可以任憑自然展現，不必硬梆梆的束緊，讓架構看得出球體，但仍然擁有自然線條裝飾。

9. 略保留一小部分空間不上線條，方便加入花材時置入架構內部。

捲曲方式

1.規則捲法：例如將紅竹葉或葉蘭捲成一致的甜筒狀或圓筒狀，將之串連成架構。

2.不規則捲法：刻意將每片葉子以不規則方式捲曲，組合成一個隨興自然的架構。

3.連續細捲法：斑春蘭葉是目前發現最適合此捲法的材料，將斑春蘭葉捲在竹筷或花莖上，以膠帶暫時固定後，泡水1至4小時以上，拆開後隨即產生連續細捲的線條，捲曲自然呈現，且不需固定，只要避免用手過度拉直即可。

技之五

捲。

「尾端可隨興伸展，更能突顯捲的特色。」

　　運用柔軟的長形素材，以捲的技巧進行加工，可以塑造出兼具動感與鏤空輕盈的架構，亦可組出沉穩厚實的風格。常用材料包括長型葉片的紅竹、白竹、粉竹、葉蘭；細長型葉片的春蘭葉、斑春蘭葉；以及藤柳類的紅柳、米柳等。

　　將葉片等素材按摩柔軟，捲曲成所要造型後，通常還需輔以綑綁、釘等方式固定，葉片素材常見的固定方法有三種：釘書機固定、膠帶黏貼固定，以及將葉面割出縫隙，穿過縫隙加以固定。藤柳類捲曲後，多半是以鐵絲綑綁固定，尾端可隨興伸展，更能突顯捲的特色。

19

紅飛翠舞

難易度／✿✿✿

紅柳×架構手綁花束

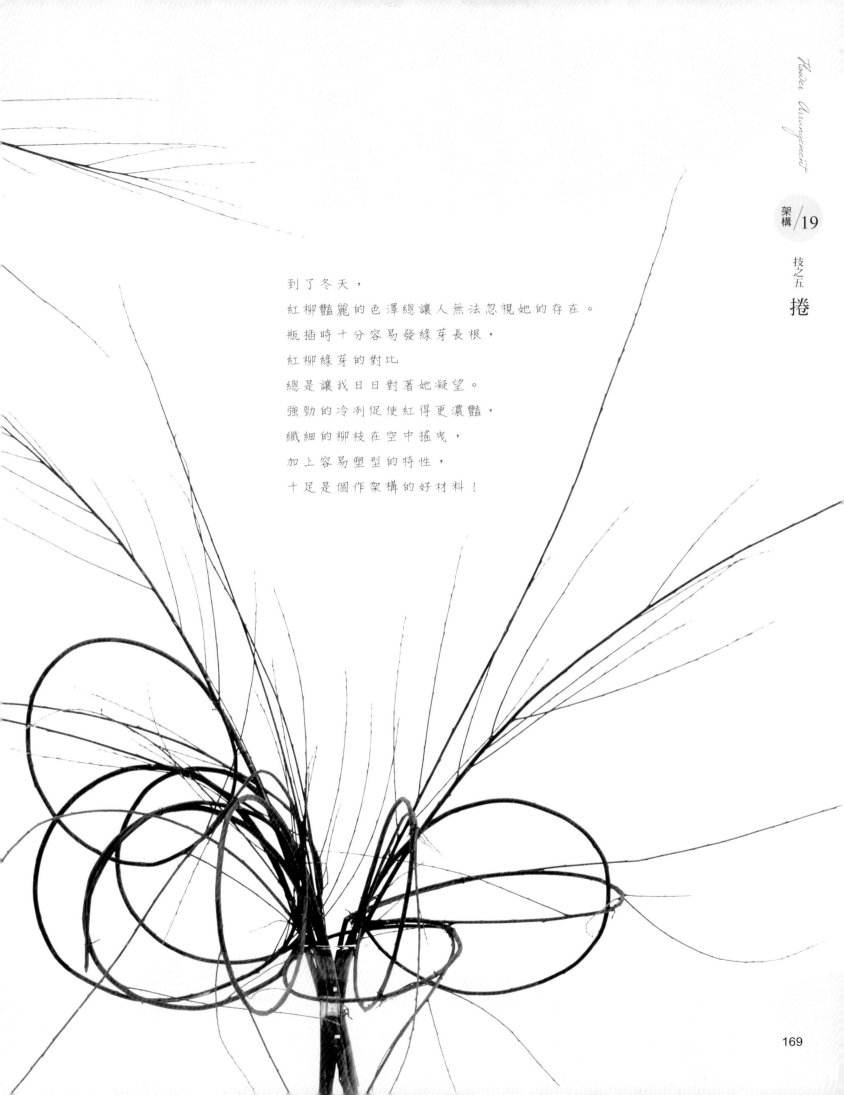

到了冬天，
紅柳豔麗的色澤總讓人無法忽視她的存在。
瓶插時十分容易發綠芽長根，
紅柳綠芽的對比
總是讓我日日對著她凝望。
強勁的冷冽促使紅得更濃豔，
纖細的柳枝在空中搖曳，
加上容易塑型的特性，
十足是個作架構的好材料！

架構設計理念

紅柳可彎折的特性是設計造型的重要考量，
綠芽萌發時洋溢生命力的模樣和紅綠對比的色澤是希望呈現的重點，
因此在設計時首要考量就是材料必須能吃到水，才能欣賞架構的後續變化。

工具

鐵絲‧平口鉗‧花剪

架構素材

紅柳

架構技巧

主要技巧：捲

輔助技巧：綑綁

架構特色

能持續生長的架構

運用類別

規則幾何圖形	不規則	立體	平面
層疊	半圓形	球形	月眉形
三角錐形	長方形	正方形	自然素材
加工後自然素材	非自然素材（異材質）	可持續生長	可乾燥不變形
枝材	葉材	藤柳類	果材
環保素材	創意加工	獨立架構	與花器結合的架構
植生式架構	裝飾性架構	一次完成架構	兩階段完成架構

■ 造形元素　　■ 材料元素　　■ 型態元素

製作步驟

1. 按摩紅柳，以24號咖啡色鐵絲一枝枝各自捲成圈形，末端線
條不必刻意固定，隨興開展。

2. 將圈形與直線素材握在手上，呈平行腳方式組合，暫時綑綁
放在瓶器內。

3. 將其中兩到三個圈形紅柳，從原本的垂直彎折成水平，並以
鐵絲綑綁固定在鄰近的前後兩個圈，使架構中的圈形以垂
直、水平的不同角度，連結成一個空心的結構體。

4. 亦可以圈形的大小、高低來增加架構的變化。

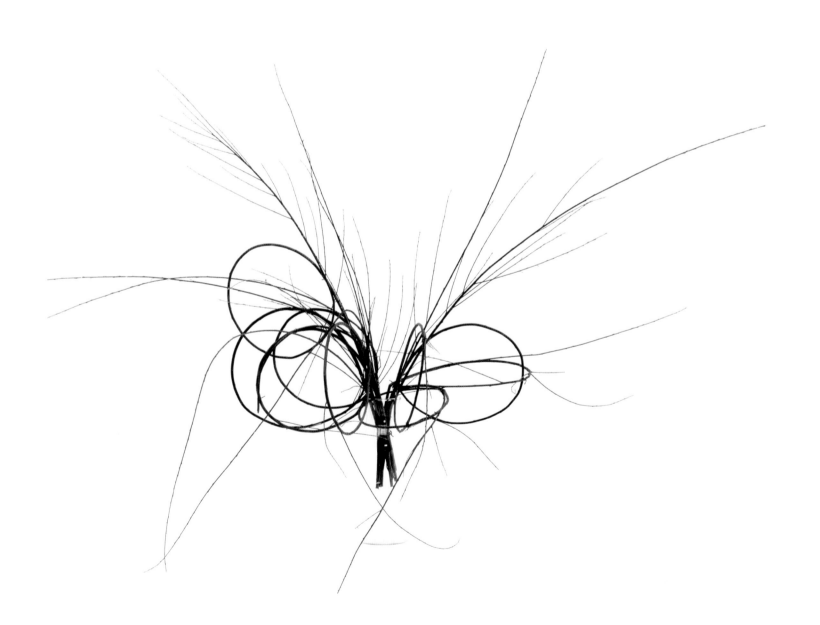

設計作品

作品設計理念＆色彩搭配概念

配合架構素材的紅色，全以各種不同的紅色花材作層次上的變化，整體仍維持協調的同色系。兩色交織的魔鬼鬱金香，帶來色彩上明暗對比的變化，當新芽冒出時，點點綠意會成為色彩上的焦點。

花材

紅色康乃馨·魔鬼鬱金香·紅樹蘭·暗紅色松蟲草·火龍果·巧克力乒乓菊·紅撫子·劍尾竹芋·紅玫瑰

製作步驟

1. 魔鬼鬱金香剪去大部分的葉片，其他花材同樣僅保留少許葉子，其餘清除。
2. 劍尾竹芋按摩中間葉脈，以葉背紫紅色朝外的方向對折釘牢，作為間隔花材空間及底葉使用。
3. 將紅柳架構置於手中，所有花材以多層次方式插入架構，持有花束的手應當略為放鬆，讓花腳易於進入握把點。維持螺旋花腳的方式，並使鬱金香展現出其特殊的線條美。
4. 最後以劍尾竹芋葉作為底葉收尾，麻繩綁緊即完成。

流光幻影

斑葉蘭 × 架構手綁花束

難易度／🌸🌸

夜裡看著遠方高速公路上匆忙行進車輛所留下的光絲，
想起二八年華上攝影課時，
第一次的作業也是拍攝夜晚的中正紀念堂牌樓，
以低速快門和伸縮鏡頭在底片上成像。
三十多年過去了，這一切都被數位取代。
想起的其實都是青春的回憶。
在廣場上奔走，
和同學來回討論著，
在那個只能等照片洗出來才看得到成果的年代，
我們跑了兩、三趟才把作業完成。
片刻不停歇的歲月啊！
就像捲起的斑葉蘭紋路，
翻滾跳躍，
終究要消失在光的盡頭。

架構設計理念

不規則捲曲的斑葉蘭，

白色的斑紋似在暗夜中滑動相機製造出的光之線條。

即使乾燥後成金黃色澤，

線條依稀可見，

是一款可以由新鮮創作到乾燥的材料。

工具

釘書機・麻繩・花剪

架構素材

斑葉蘭

架構技巧

主要技巧：捲

輔助技巧：釘

架構特色

葉材的變化運用

運用類別

規則幾何圖形	不規則	立體	平面
層疊	半圓形	球形	月眉形
三角錐形	長方形	正方形	自然素材
加工後自然素材	非自然素材（異材質）	可持續生長	可乾燥不變形
枝材	葉材	藤柳類	果材
環保素材	創意加工	獨立架構	與花器結合的架構
植生式架構	裝飾性架構	一次完成架構	兩階段完成架構

■ 造形元素　　■ 材料元素　　■ 型態元素

製作步驟

1. 將斑葉蘭底部的硬葉脈按摩至柔軟，再捲曲成各式各樣不規則的形狀以釘書機固定。

2. 將捲好的斑葉蘭以螺旋花腳的方式組合成手綁花束。暫時以膠帶固定手握把點，放入瓶器中。

3. 葉捲和葉捲之間的碰觸點以釘書機或雙面膠連結固定，使其成為一個不規則結構體的架構。

4. 可以加入一、兩片不捲的斑葉蘭，在結構中保留一些線條對比。

設計作品

作品設計理念＆色彩搭配概念

為了展現斑葉蘭捲後如流光的線條，色彩上採用同色調，以突顯線條特色。

花材

白玫瑰・白乒乓菊・綠乒乓菊・金絲草

製作步驟

1. 所有花材皆清除葉子，只留花朵單純造型。

2. 將手把上暫時固定的膠帶拆除，開始在架構間插入花材。花材略有高低層次，分布略有疏密，與整體架構達成平衡，握把處仍要維持正確的螺旋花腳。

3. 加上金絲草強調流線設計，並帶入一些輕盈的線條，為架構增加變化。

技之六
結。

「不妨多一點隨興，讓作品
擁有灑脫的靈魂吧♥」

這裡所指的打結技巧，係指以素材本身捲繞成環，而
後穿梭固定，形成線條與結點的呈現。與編織主要表現編
織面的質感不同，並且結本身即有固定作用，與捲不同，
不需再依靠外力固定。

打結技巧適合使用柔軟、長型、具有韌性的植物素
材，例如：春蘭葉、斑春蘭葉、鳶尾葉等都是常見材料。
打好結的素材彼此連結，即可成為一個結構體，因此可以
依設計任意延伸。打結的鬆緊程度會影響空間透視與輕盈
感，再加上恣意伸展的葉片兩端，製作時不妨多一點隨
興，讓作品擁有灑脫的靈魂吧！

結髮一輩子

斑春蘭葉 × 架構式新娘捧花

難易度／✿✿✿✿

技之六
結

「結髮為夫妻，恩愛兩不移。」
將此寓意連結在新娘捧花的設計中，
祈願一段綿綿深情。

繩結藝術，
在許多民族都有淵久的發展史。
若以葉片來打結，除了結點的變化，
連接結點的線條也會因葉片彈性而創造出立體弧線，
有著隨興塗鴉的率性，
閒逸添趣。

嘗試創作，
有時不妨以遊戲的心態為之，
如同孩子般，
無須預設結果，
順勢靜觀其變。
掌握了創意發想的特色之後，
精緻化作法，
成熟穩定的作品即可產生。

架構設計理念

在進階設計中，各種創意技巧是訓練重點，
技巧配合不同材料特性，產生無限可能。這個作品原是要表現打結技巧，配合檢定
主題架構新娘捧花，在選材上著重新娘捧花的輕盈感和清新風格。

工具

花剪．花藝專用膠．花藝膠帶．鐵絲

架構素材

斑春蘭葉

架構技巧

主要技巧：結

輔助技巧：鐵絲編織

架構特色

改變素材原本的造型

運用類別

規則幾何圖形	不規則	立體	平面
層疊	半圓形	球形	自然素材
三角錐形	長方形	正方形	自然素材
加工後自然素材	非自然素材（異材質）	可持續生長	可乾燥不變形
枝材	葉材	藤柳類	果材
環保素材	創意加工	獨立架構	與花器結合的架構
植生式架構	裝飾性架構	一次完成架構	兩階段完成架構

■ 造形元素　　■ 材料元素　　■ 型態元素

製作步驟

1. 18號鐵絲八支束成一束，再以26或28號鐵絲在八支鐵絲之間上下穿梭，形成一個類似水滴形的鐵絲網架構。

2. 斑春蘭葉一條條在鐵絲網架構上打結，每一條至少兩個結較為固定，較長的葉片，可以打到三個結，互相堆疊與交錯，形成類瀑布型、長寬比例超過四倍以上的架構。

3. 保留少許葉片，在花朵組合上架構後，用以覆蓋在花飾上。使打結線條與花飾能夠融合。

製作協力／陳映存·周盈汝

步驟 1.
架構式新娘捧花
基座作法示範影片

利用各式各樣的結，串連成架構。

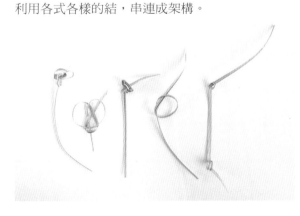

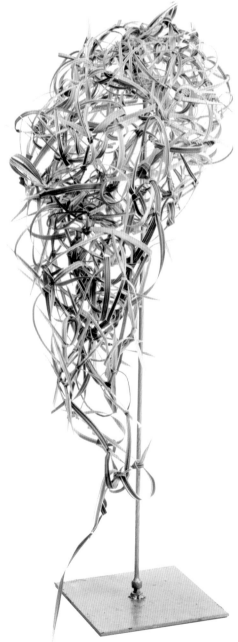

設計作品

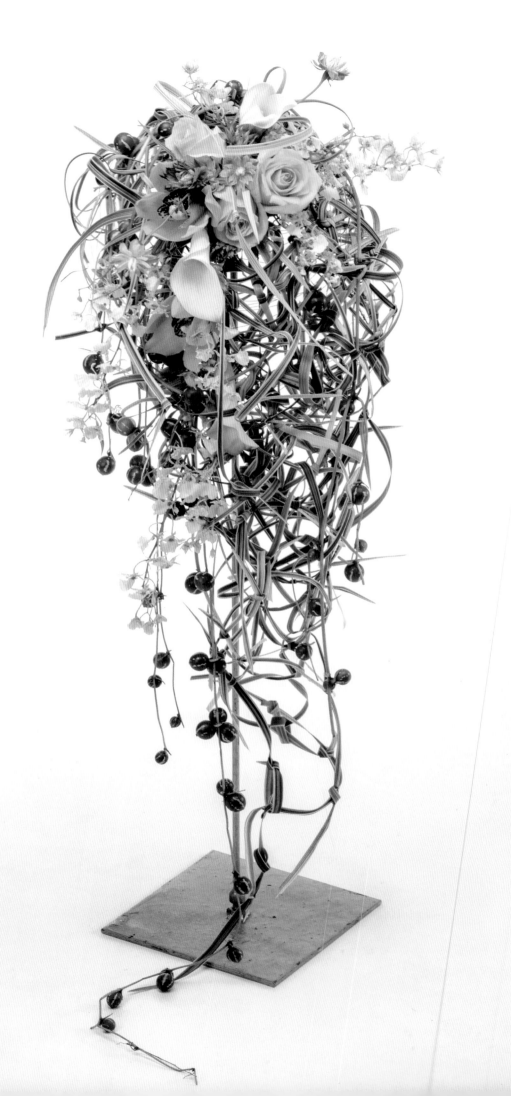

作品設計理念＆色彩搭配概念

特別的迷你綠玫瑰和綠色西瓜藤為呼應架構色彩。架構主題色調雖為白綠，但是想要一些暖色調表現時，只要避掉過高的彩度，依然能展現溫柔氣質，並非只有白和綠的選擇。

花材

香檳玫瑰・白色海芋・白色文心蘭・西瓜藤・綠色迷你玫瑰・黃色東亞蘭・迷你黃金葛葉片

製作步驟

1. 西瓜藤順著架構姿態綑綁固定在鐵絲上，以搭配架構色彩並製造線條的變化。

2. 塊狀花材與線條的組合，略呈左上弦月的月眉形，配合架構層次感，帶有些微高低律動的變化，決定好位置之後，剪出長度，將素材一一上鐵絲。

3. 上了鐵絲的花材和架構鐵絲握把組合固定，部分較輕巧的花材可以黏貼技法補足。

4. 將架構預留的少數斑春蘭葉繼續打結連結在架構上，覆蓋部分花飾，製造隱約的透視感，增加浪漫氣氛。

5. 最後手握把處仍要以黃金葛葉的收底葉作為結尾，遮蓋鐵絲作工的花腳。配合架構色調以黃金葛為之，會優於銀荷葉。

黏貼技巧使用的黏合劑，常見的種類有6種，分別是熱融膠、保麗龍膠或相片膠、花藝專用冷膠、雙面布膠、木工專用膠、萬用噴膠。黏貼特性與注意事項如下所述。

1.熱融膠：黏合速度較快，但使用時需注意安全，以免燙傷。作業時可放冰袋在旁備用，作為燙到時的緊急處理，如此則不易致傷。

2.保麗龍膠或相片膠：黏合速度較慢、安全性高，然而其中的化學成分對於新鮮植物素材有灼傷之虞，尤其花瓣等嬌嫩材質較不適合。上膠後需接觸空氣乾燥一下再進行貼合，黏貼效果較為牢固。

3.花藝專用冷膠：成分經過調整，花材不易受損。上膠後仍要接觸空氣乾燥一下再進行貼合。

4.雙面布膠：同一般雙面膠用法，但黏著力更佳，且撕下後不會留下殘膠。

5.木工專用膠：專門黏貼木質材料的白膠，黏著乾燥時間長，但用於黏合木質材料時效果佳。

6.萬用噴膠：大面積上膠時使用，建議噴撒時將素材置入紙箱內，事後清潔較為容易。

技之七
黏貼。

「除了製作架構，黏貼技巧
更常運用在作品的裝飾上。」

　　運用各種不同的黏合劑將素材連結成結構體的黏貼技巧，在架構製作中較為少見，由於牢固程度不若其他方式來得穩定，因此要注意選用素材的重量，一般多使用較輕巧的材料。

　　除了製作架構，黏貼技巧更常運用在作品的裝飾上，利用水分需求少或無需水分亦能維持一段時間的花材，如蘭花或麥桿菊這一類，以黏貼方式裝飾在作品中，使作品更具輕盈美感。

22

北國異想

難易度／✿✿✿

白樺木×自然感桌上設計

北國旅行時，
窗外倏地呼嘯而過的白樺木風景
綿延數公里，
枝頭上經常綴以少數紅葉，
那如電影快轉般的畫面，實則勞神。
卻不想放過任何驚鴻一瞥的機會，
每一棵樹幹，
不同的紋路與姿態，
樹枝交錯間，偶爾蹦出的小動物，
以及點綴其間的冬日紅果，
都是一幅幅，
絕無僅有、無法複製的自然畫作。

架構設計理念

白樺木清新的枝幹線條，在風景照中經常引人目光，

近年來在耶誕節前後，花市總有大量進口樹段，

就依著她原本直立的生長型態，大量黏貼在木板上吧！長短、疏密的分布著，

想像花兒依偎在側，陽光撒落，好一幅自然光景。

工具

鋸子・木材專用膠・熱融膠・玻璃試管・花剪・電鑽

架構素材

細枝白樺木・木板

架構技巧

主要技巧：黏貼

輔助技巧：鋸・鑽

架構特色

平行表現的架構

運用類別

規則幾何圖形	不規則	立體	平面
層疊	半圓形	球形	月眉形
三角錐形	長方形	正方形	自然素材
加工後自然素材	非自然素材（異材質）	可持續生長	可乾燥不變形
枝材	葉材	藤柳類	果材
環保素材	創意加工	獨立架構	與花器結合的架構
植生式架構	裝飾性架構	一次完成架構	兩階段完成架構

■ 造形元素　　■ 材料元素　　■ 型態元素

製作步驟

1. 白樺木枝以鋸子鋸成*18*至*25*公分不等的長度備用。

2. 依照選用試管的底部大小，在木板上作出適合管底弧度的淺坑。

3. 以木材專用膠將白樺木固定在木板上，注意要有疏密及高低錯落感。

*4.*再以熱融膠將試管固定在預先鑽好的的孔洞上，架構即完成。

◆圖解步驟請見*P.206*

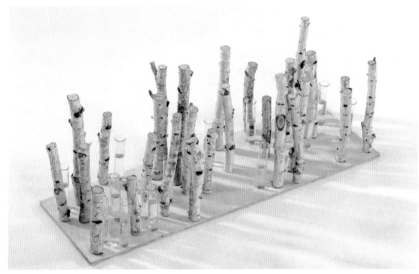

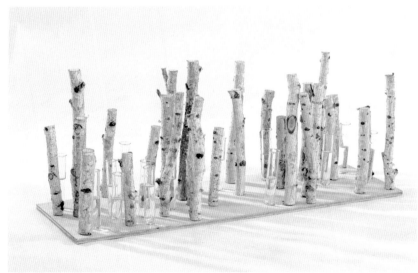

作品設計理念&色彩搭配概念

與木頭暖色調完全對比的冷色系花材,更能突顯多樣花材的特殊性。巧克力波斯菊的暗紅色和香水文心的淡紫紅,是少量偏向架構色彩但又略帶紫色調的橋樑色。

花材

花格貝母‧暗紫色香碗豆‧矢車菊‧巧克力波斯菊‧紫玫瑰‧聖誕玫瑰‧紫花白邊桔梗‧攀根

製作步驟

1. 試管中先加入七、八分滿的水量。

2. 花格貝母以其姿態展現出作品中的重要線條,決定好之後,後續加上的材料要注意,不能遮擋其線條美感。

3. 其餘花材,高低錯落的展現在架構中。

4. 巧克力波斯菊增加作品層次及跳躍感,可略高,不要影響皇冠貝母線條即可。

5. 香水文心自然垂墜的線條,可連貫直立的架構空間。

6. 攀根葉形精緻,除呼應波斯菊色彩外,更具有平衡整體作品的重要地位。

設計作品 B

作品設計理念&色彩搭配概念

分析架構的色彩,採用同系統配色是最安全穩定的作法。運用高彩度的花色與低彩度的架構對比,協調中不失變化。

花材

虞美人‧橘黃色調迷你太陽花‧紅樹蘭‧蝴蝶陸蓮‧迷你文心蘭‧小夏桔梗‧白頭翁‧黃色矢車菊‧芳香天竺葵葉

製作步驟

1. 選擇虞美人特殊的線條拉高表現。

2. 插著時,一次處理一種花材,並將同色花材一起安排。例如:先安排好橘紅樹蘭,接著安排橘紅迷你太陽花,即能
掌控好色彩平衡。

3. 安排同一種花材或同一色系花材時,要注意高低錯落與疏密感,尤其是這類偏向自然感的作品,要避免對稱平衡,
採用不對稱平衡才能符合自然氛圍。

4. 迷你文心蘭的垂態製造了直立架構間的連結,並且朝不同方向延展了作品空間感。

23

Style

壓克力條×現代極簡風花環設計

難易度／★★★★★

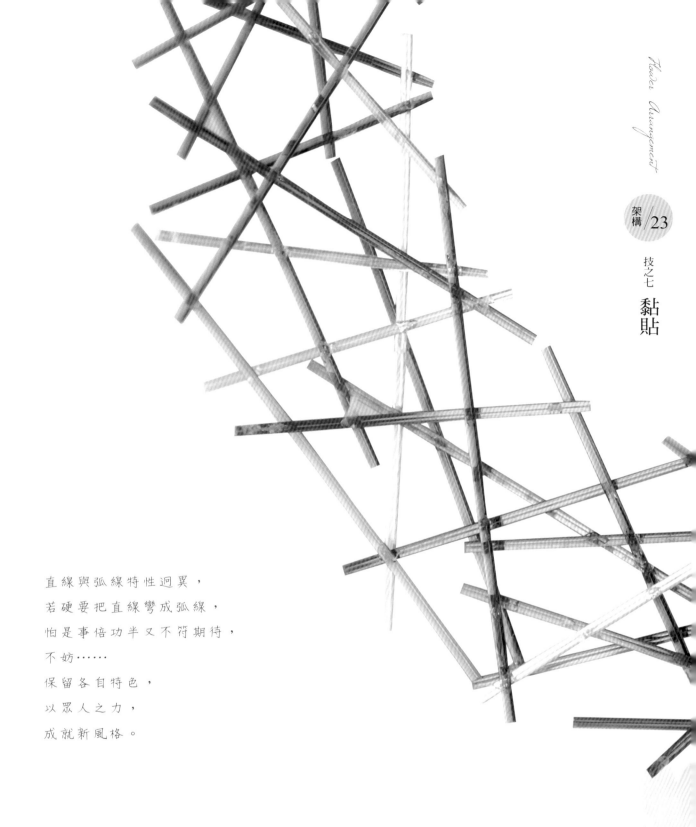

直線與弧線特性迴異，
若硬要把直線彎成弧線，
怕是事倍功半又不符期待，
不妨……
保留各自特色，
以眾人之力，
成就新風格。

架構設計理念

壓克力條清透晶瑩的質地具有俐落的裝飾性，也是花藝設計中常用的異材質。

採用以線畫圓的方式，表現出具有現代感的花環設計。

工具

保麗龍膠・熱融膠・花剪

架構素材

紫色與透明的三角壓克力條

架構技巧

主要技巧：黏貼

架構特色

異材質的運用

運用類別

規則幾何圖形	不規則	立體	**平面**
層疊	半圓形	球形	月眉形
三角錐形	長方形	正方形	自然素材
加工後自然素材	**非自然素材（異材質）**	可持續生長	可乾燥不變形
枝材	葉材	藤柳類	果材
環保素材	創意加工	**獨立架構**	與花器結合的架構
植生式架構	**裝飾性架構**	**一次完成架構**	兩階段完成架構

■ 造形元素　■ 材料元素　■ 型態元素

製作步驟

1. 先依需求繪製花圈紙型，畫出內、外圈圓周。

2. 將兩色壓克力三角條剪成段，在紙型上排列進行平面狀的展開，讓
每一枝材料都能觸碰到內外圈的圓周上。

3. 以保麗龍膠黏貼，勾勒出基本架構的花圈輪廓。此階段不可三條交
叉於一點，會使基本架構過厚。

4. 完成基本輪廓後，繼續增加密度，這時即不限三條交叉於一點。最
後清理多餘膠絲即完成。

◆圖解步驟請見*P.206*

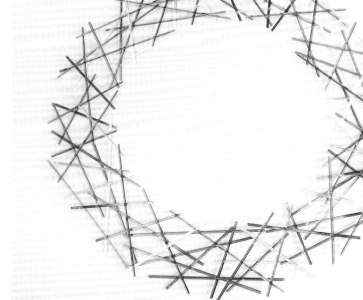

設計作品

作品設計理念＆色彩搭配概念

配合壓克力條的色彩，以紫色冷色調為主，加上無彩色的黑與白，表現現代感。

花材

白花黑心麟托菊·紫色千代蘭·白色蝴蝶蘭

架構素材

1. 麟托菊俐落的圓型輪廓，加上白色花瓣與黑色花心對比後亦成環狀，與整個作品十分契合。若不再加上鮮花，不妨大量使用此材料安排在作品中，成為一個更簡潔俐落的現代感花環。

2. 為保持簡約俐落卻不失變化與新鮮感，搭配紫色千代蘭和白色蝴蝶蘭黏貼其中，安排花朵位置時，要有疏密錯落的悠閒感，不要太過等距與規則，整體氣氛會更為靈活。

3. 作品全採黏貼技巧，要注意膠絲的清潔。

23. C 參考設計作品

水藍幻彩

實用生活作品運用 三

作品設計理念

壓克力若不作成環狀，亦可利用其不規則線條空間所構成的架構，與玻璃花器結合，成為既有裝飾效果又能固定花材的架構。此設計作品以方形玻璃花器搭配壓克力條架構，並結合空間色彩，置於窗邊。陽光灑落時，晶瑩剔透，花朵也隨之更加燦爛！

色彩搭配概念

取環境中的藍綠色與紫色冷色調作搭配，一樣是紫與白，但是多了一些不同深淺變化，增加色彩豐富度。

花材

亞馬遜百合・大飛燕草・紫玫瑰・藍色矢車菊・白色迷你太陽花・麟托菊・紫白色洋桔梗

製作步驟

1. 將壓克力條作成不規則架構，以鐵絲綑綁在玻璃花器瓶口並延伸至花器外。

2. 麟托菊黏貼在壓克力架構上作點綴。

3. 亞馬遜百合和大飛燕草配合花器造型，表現向上線條。

4. 矢車菊、洋桔梗、裝飾在瓶口處，增加作品量感。

5. 白色迷你太陽花延續上段亞馬遜百合的色彩，呼應架構上麟托菊的造型，在瓶口處略拉出一些高度。

6. 以壓克力作出一些小三角形架構，以銅絲線懸垂在作品下方，增加作品動感變化。

圖解步驟

架構/22 北國異想／白樺木×自然感桌上設計　P.193

1.
白樺木鋸出18至25cm不等長度。

2.
若花器為小試管,使用電鑽在木板上鑽出淺坑即可。

3.
若試管較大,則可利用花藝刀沿邊緣斜削一圈,作出適合管底的弧度(亦可購買圓底刀鑽頭,直接作出圓底孔洞)。

4.
以熱融膠將試管固定在預先鑽好的的孔洞上。

5.
以木材專用膠將白樺木固定在木底板上,要有疏密及高低錯落感,架構即完成。

架構/23 Style／壓克力條×現代極簡風花環設計　P.201

1.
先依需求繪製花圈紙型,畫出內、外兩圈圓周。

2.
分別將兩色三角壓克力條剪成15至20公分不等的長度,接著在紙型上排列。

> *POINT*
> 三角壓克力條兩頭需分別觸及內、外圈圓周,以便勾勒出基本架構的花圈輪廓。三角條交叉點以兩條為限,進行平面狀的展開。初期可使用保麗龍膠,方便調整。

4.
錯誤示範：三條交叉於一點，會使基本架構過厚。

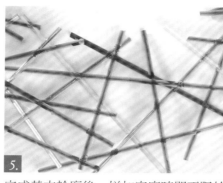

5.
完成基本輪廓後，增加密度時即不限於三條交叉於一點。此階段可使用熱融膠節省製作時間。

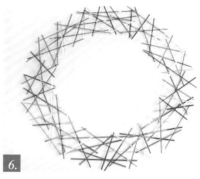

6.
清理多餘膠絲即完成架構。

少見花材介紹

熊貓百合／*Lilium 'Panda Joy'*

近幾年推出的新品種百合。顏色造型個性十足，打破一般人對百合柔美的刻板印象。

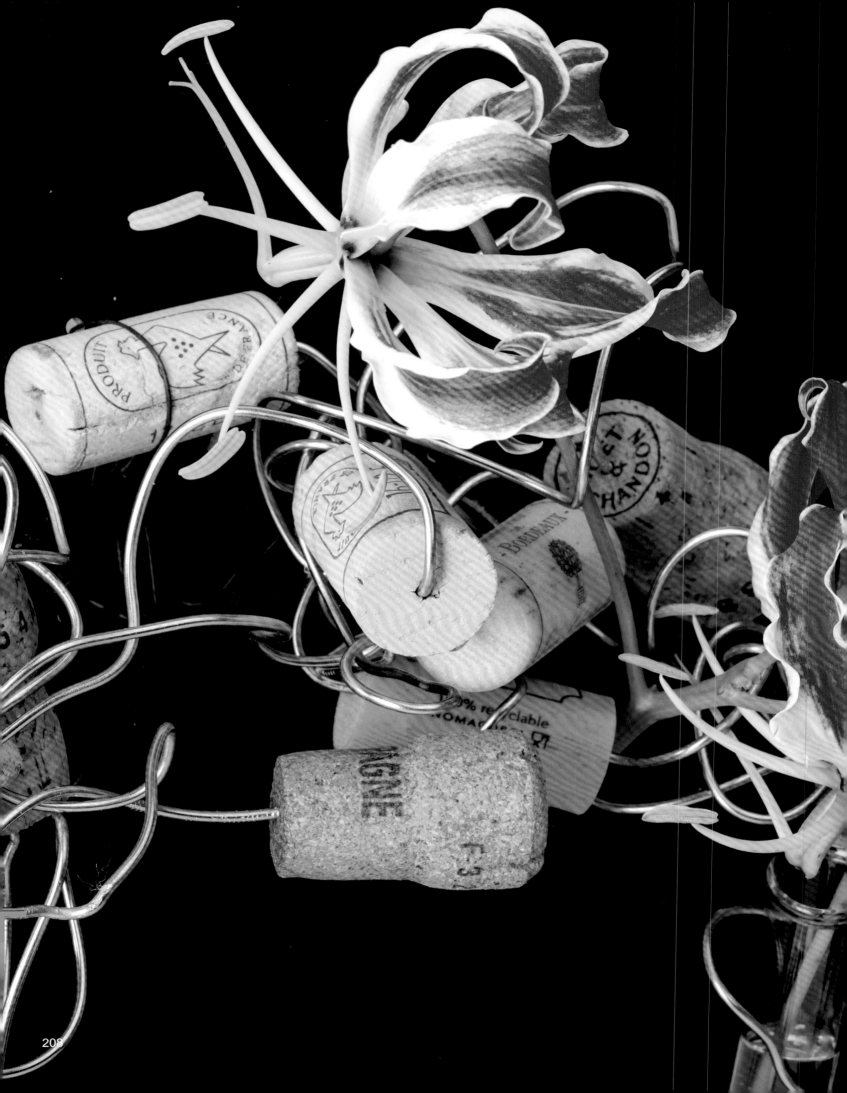

技之八

串。

「穿過素材本身，將材料
連結串起。」

以線、鐵絲或鋁線穿過材料本身，連接串起的技巧。
常見的運用方式為看不到中間線材，表現密集不斷素材質
感的石斛蘭花串，或是火龍果果實串成似珍珠般的花藝設
計。若使用鐵絲與鋁線，則可以藉由本身的塑形功能，變
化出更豐富的線條造型。

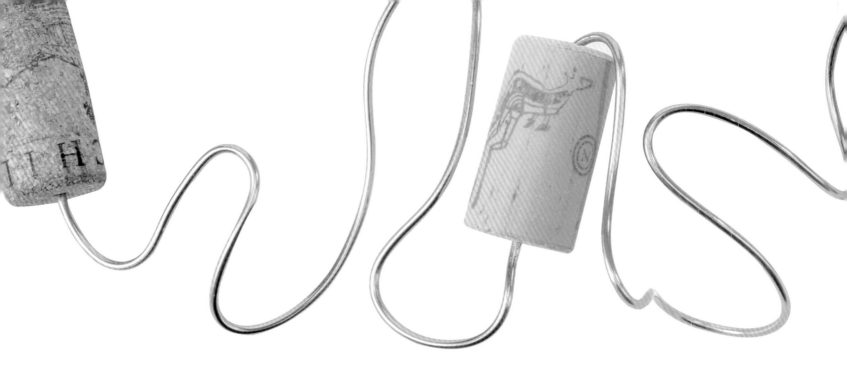

24 微醺時光

軟木塞×花環設計

難易度／★★★

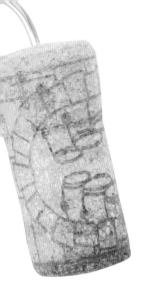

在一次次酒酣耳熱之後留下的軟木塞，
帶著微醺歡樂的回憶，
木紋色澤的圓筒造型，自然可愛。
想像著如何讓這些敦實樸拙的小小軟木塞，
化身俏皮可愛小精靈，
表現略帶醉意時的隨興與輕鬆～

架構設計理念

軟木塞的造型逗趣，嘗試以金色鋁線串起，彎折出跳躍不規則的曲線，

讓軟木塞彷彿在架構上彈跳般，製造輕巧、愉悅的氣氛。

鋁線不易將架構鞏固成型，因此固定在壓克力板上利用背板支撐。

採用深色系壓克力板以突顯淺色架構，色彩更協調。

工具

電鑽・鐵絲・平口鉗

架構素材

軟木塞・金色鋁線・深咖啡色壓克力板

架構技巧

主要技巧：串

輔助技巧：試管・鑽・綑綁

架構特色

異材質的運用

運用類別

規則幾何圖形	不規則	立體	平面
層疊	半圓形	球形	月眉形
三角錐形	長方形	正方形	自然素材
加工後自然素材	非自然素材（異材質）	可持續生長	可乾燥不變形
枝材	葉材	藤柳類	果材
環保素材	創意加工	獨立架構	與花器結合的架構
植生式架構	裝飾性架構	一次完成架構	兩階段完成架構

■ 造形元素　■ 材料元素　■ 型態元素

製作步驟

1. 將30公分一段的金色鋁線串上軟木塞後，不規則地揉捏鋁線，再串上另一個軟木塞，製作出所需長度。

2. 將串接後的鋁線繞成環狀，重疊4到5層後，將架構擺放到壓克力板上，整理好造型。

3. 選擇貼近壓克力板的軟木塞進行綑綁固定，在選定的軟木塞左右側以電鑽鑽上兩個孔，穿入鐵絲兩端，將軟木塞綑綁固定在壓克力板上。

4. 至少固定5到7個軟木塞後，將架構直立，觀察較上層的軟木塞是否有晃動的線條，再將上層鋁線與下層鋁線稍作綑綁固定，直至架構直立時線條穩定為止。

5. 固定時要隨時整理環狀造型，使環的厚度一致。

◆圖解步驟請見P.218

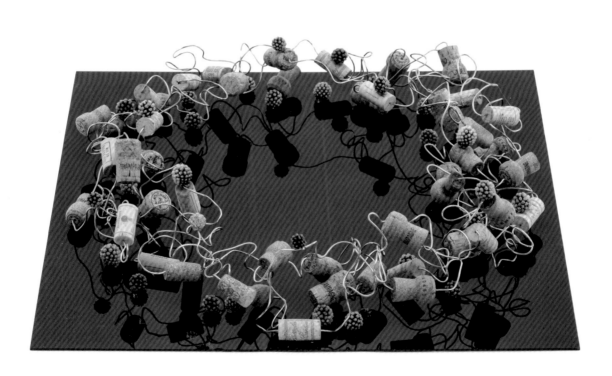

設計作品 A

作品設計理念&色彩搭配概念

以紅色調為主，營造熱鬧歡愉的餐酒氣氛。配合紅酒質地與顏色，搭配暗紫色葡萄和暗紅色大康，以橘色調作為淺色軟木塞與暗酒紅的銜接橋樑色。表現一個放置桌面的花環作品。

花材

古典橘色進口玫瑰・黛安娜玫瑰・珊瑚鳳梨・橘色迷你玫瑰・暗紅色康乃馨・黃金果・叢星果・紫色葡萄串・迷你太陽花

製作步驟

1. 在串連的鋁線空隙間固定玻璃試管，並注入七分滿清水。

2. 將叢星果黏貼在壓克力板上或鋁線上，呼應軟木塞的彈跳效果。

3. 大、小玫瑰及康乃馨、迷你太陽花，略有高低層次及疏密感的投入試管內。

4. 珊瑚鳳梨帶出略長線條，點綴其間。

5. 黃金果黏貼在壓克力板上，補足鋁線環的厚度感。

6. 葡萄串投入酒杯中。

7. 放上金色與紅色蠟燭妝點氣氛。

8. 酒杯內倒上紅酒，即成宴會桌面的環狀花飾，兼具餐酒的展示。

設計作品 B

作品設計理念＆色彩搭配概念

以單純的「紅」作為米黃色架構與深咖啡壓克力之間的橋樑色，花材種類單純，以表現架構特色。

花材

火焰百合

製作步驟

1. 將架構掛起，試管綁上22號咖啡色鐵絲，再與軟木塞綑綁結合，與地面呈垂直角度。試管分布為右上多，左下少，保留下方及左上一小塊不加試管，作為純粹表現架構之美的空間。

2. 火焰百合清除所有葉片，短枝投入試管中，左上數量多成為焦點區，右下略為呼應，形成一個不規則環狀的壁飾作品。

圖 解 步 驟

微醺時光／軟木塞×花環設計　P.213

1.
將金色鋁線剪成約30公分一段。

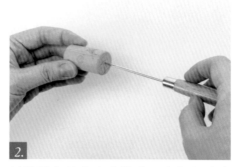

2.
以錐子在軟木塞上鑽孔，方便鋁線穿
入。

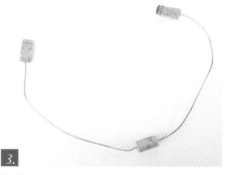

3.
鋁線前、後、中央串上軟木塞，一個個
接成串。

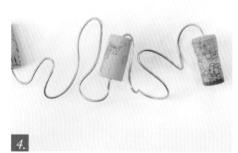

4.
不規則揉捏鋁線，再將串接後的數段鋁
線繞成環狀，重疊4到5層。

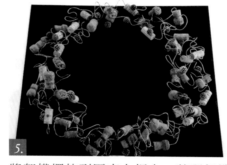

5.
將架構擺放到壓克力板上，整理好造
型，開始選擇貼近壓克力板的軟木塞進
行綑綁或黏貼固定。

技之九
串接。

「連結素材並未穿過素材本身，僅在素材外纏繞或綑綁。」

　　素材與素材之間的連結，是透過另一種素材來結合成結構體，可能是樹枝，亦可能是鋁線，但樹枝與鋁線都有我們要表現的素材之美。串接技巧的連結素材並未穿過素材本身，僅在素材外纏繞或綑綁。

　　串接可以是不規則的單點連接，也可以是雙點規則的並列串接。

25 叱吒

椰子殼 & 梨枝 × 桌上設計

難易度／✿✿✿

從小到大在台北成長的我，

第一次到屏東，

對於沿路椰子樹上結實累累的景象大為驚豔！

幾乎是專業的反應，

滿腦子思考著要如何運用在課程中，

乾燥後的果殼，

沉穩雄厚，

纖維的肌理彷彿成熟男人的大手，

蒼勁有勢，

配合梨枝曲折的線條氣勢，

簡約中帶著霸氣。

架構設計理念

單一的椰子果殼作品較偏小品，為了呈現各個不同果殼所營造的氣勢，取梨樹枝特有的轉折線條與椰子果殼作質感上的呼應，串接成一個較有變化的架構。

工具

電鑽・鐵絲・花剪

架構素材

乾燥椰子殼・梨枝

架構技巧

主要技巧：串接

輔助技巧：鑽・綑綁

架構特色

生活廢棄物的再製利用

運用類別

規則幾何圖形	不規則	立體	平面
層疊	半圓形	球形	月眉形
三角錐形	長方形	正方形	自然素材
加工後自然素材	非自然素材（異材質）	可持續生長	可乾燥不變形
枝材	葉材	藤柳類	果材
環保素材	創意加工	獨立架構	與花器結合的架構
植生式架構	裝飾性架構	一次完成架構	兩階段完成架構

■ 造形元素　■ 材料元素　■ 型態元素

製作步驟

1. 新鮮椰子殼切平底部並切出上方較大開口，以利站立及插
著。挖去果肉後，曬太陽乾燥。

2. 五個果殼擺放出不規則的位置，利用梨枝串接成一個穩定的
架構。另一個獨立更具靈活度。

3. 梨枝擺放好後，與果殼交集處作上記號，在果殼記號處以電
鑽鑽孔。

4. 鐵絲穿過果殼上的孔洞，與梨枝綁緊固定。

◆可參考*P.242*「架構*25*變奏*D* 醇郁／實用生活作品運用四」
圖解步驟

設計作品 A

作品設計理念＆色彩搭配概念

低彩度的大地色調架構，試圖以向日葵的亮黃帶出作品的活力朝氣，黑葉觀音蓮的黑葉

則呼應架構基色。

花材

向日葵・黑葉觀音蓮葉・叢星果

製作步驟

1. 果殼內先放入少許清水，向日葵以疏密高低的方式布局出整體的律動感。

2. 叢星果在向日葵與果殼之間點綴少許。

3. 黑葉觀音蓮葉拉高作出層次感，並製造作品中視覺休息的空間。

設計作品 B

---

25. 變奏 D

醇郁

實用生活作品運用 四

難易度／✿

架構設計理念

使用生活中更容易取得的百香果殼，和隨手可得的樹枝作結合，

亦可輕鬆得到一個適合居家擺飾的架構作品。

百香果殼以鐵絲直接穿刺即可綑綁樹枝，唯注意不要過度用力，果皮易破裂。

工具

水果刀・花剪・鐵絲

架構素材

百香果皮・樹枝或苔木

架構技巧

主要技巧：串接

輔助技巧：鑽・綑綁

架構特色

生活廢棄物的再製利用

製作步驟

*1.*百香果殼稍微切底使之能站立，上方切出較大開口能將花朵投入，以消毒環境比
例的漂白水稍加浸泡，防止果蠅產生。

*2.*苔木或樹枝架在果殼之間作為串連，表現出線條自然交錯的美感。

*3.*果殼與樹枝交接處以鐵絲綑綁，成為穩定一體的架構。

◆圖解步驟請見*P.242*

運用類別

規則幾何圖形	不規則	立體	平面
層疊	半圓形	球形	月眉形
三角錐形	長方形	正方形	自然素材
加工後自然素材	非自然素材（異材質）	可持續生長	可乾燥不變形
枝材	葉材	藤柳類	果材
環保素材	創意加工	獨立架構	與花器結合的架構
植生式架構	裝飾性架構	一次完成架構	兩階段完成架構

■ 造形元素　　■ 材料元素　　■ 型態元素

設計作品

作品設計理念 & 色彩搭配概念

以橘黃色調為主,配合百香果殼的暗紅色調,作彩度及明度的對比。

花材

巧克力向日葵・黃 & 橘 & 木瓜色迷你太陽花・澳洲茶樹葉

製作步驟

1. 先在果殼內加水,巧克力向日葵插在右側,左側有較長的苔木與之平衡。

2. 各色迷你太陽花在果殼中帶出作品主要造型的大小變化。

3. 澳洲茶樹葉拉出線條,卡在果殼與花的縫隙,也可以稍插進果殼內層的組織中,穩定線條姿態。

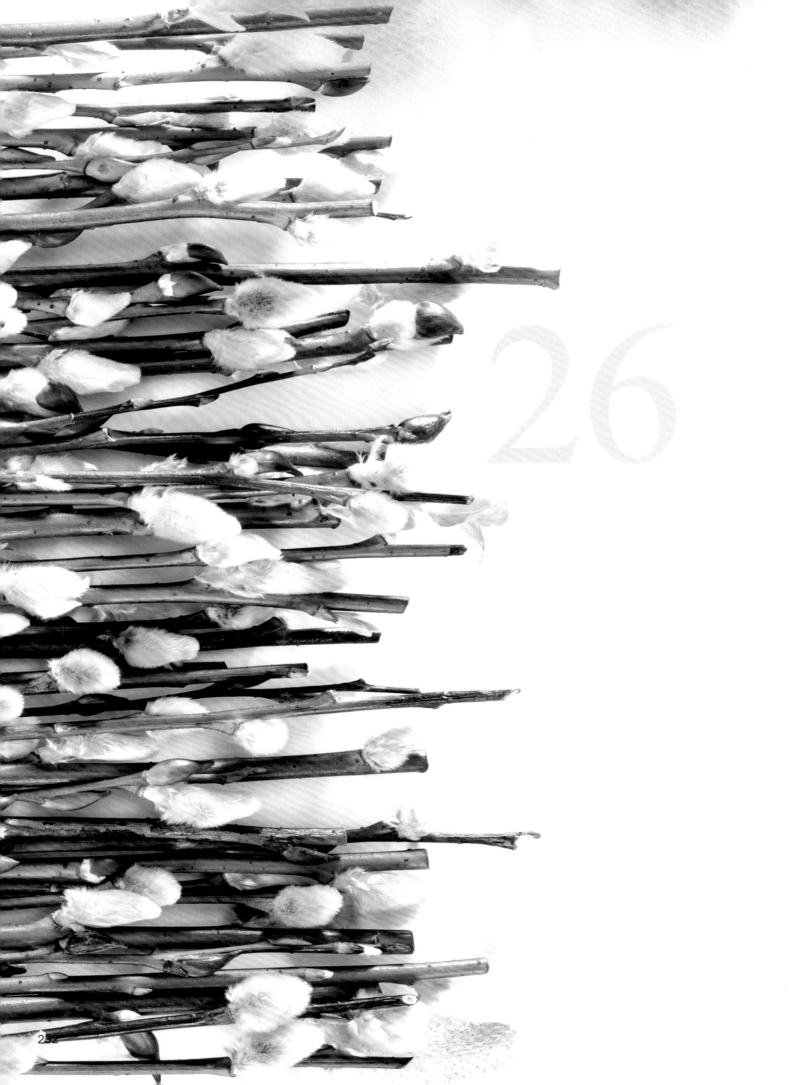

26

古韻華年

銀柳×盤花設計

難易度／★★★

在台灣，
看到銀柳上市似乎就宣告春節的來臨，
柳條上綁著各式各樣的緞帶結裝飾，
在植物噴漆流行的現在，
也看過噴成各式顏色和
染成金、銀、大紅等春節討喜的色調。
然而，
我只愛她天然的銀色花穗，
和吃水爆開後可愛的毛茸茸模樣。
每天觀察生氣蓬勃綠芽生長的變化，
是種有趣的享受啊！
即使不加任何花材，
架構本身的古典氣韻，
依然迷人。

架構設計理念

銀柳作為架構素材，最迷人之處就是材料本身可持續生長的特性，
考慮到吃水問題，因此以串接技巧來製作。架構可捲、可展開排列，亦可在長平盤上彎曲廻繞，
有極大的變化空間。只要維持底部吃水，就可欣賞架構持續生長的特殊樣貌。

工具

平口鉗・24號鐵絲・花剪

架構素材

銀柳

架構技巧

主要技巧：串接

輔助技巧：綑綁

架構特色

能持續生長的架構

運用類別

規則幾何圖形	不規則	立體	平面
層疊	半圓形	球形	月眉形
三角錐形	長方形	正方形	自然素材
加工後 自然素材	非自然素材 （異材質）	可持續生長	可乾燥不變形
枝材	葉材	藤柳類	果材
環保素材	創意加工	獨立架構	與花器結合的架構
植生式架構	裝飾性架構	一次完成架構	兩階段完成架構

■ 造形元素　　■ 材料元素　　■ 型態元素

製作步驟

1. 銀柳剪成大致等長備用。將長度三等分後，在兩處加上22號
鐵絲，扭轉固定。

2. 每加上兩枝銀柳，再扭轉鐵絲固定，以相同方式串接至所需
長度。

3. 將架構捲成筒狀，直立在花器中，靜待發綠芽增加活力生
氣。

◆圖解步驟請見*P.243*

協力製作／陳映存

設計作品

作品設計理念&色彩搭配概念

以中國喜慶愛用的紅與桃色、粉色為主,配合綠色的長青寓意。這個作品不特別配合理論講述,配色方式以民俗上的慣用方式表現。

花材

芍藥・直松・藤・暗紅蝴蝶陸蓮

製作步驟

1. 兩個花器要視為一個整體來設計,三朵芍藥以三腳鼎立的相對位置來安排,插入架構空隙中,略有傾斜的花要稍以鐵絲固定較為穩定。

2. 直松插在架構中心,延伸架構線條。

3. 暗紅色蝴蝶陸蓮點綴空間,並呼應銀柳線條之色彩。

4. 枯藤拉出曲線動態,與架構線條成對比,拓展作品空間感。

變奏
E

籬笆外的春天

實用生活作品運用 五

難易度／✿✿✿

架構設計理念

相同的架構作法，藉由擺放排列方式不同，製造出不同的效果。

有別於前面捲起的圓筒狀，這個架構以直立曲線前後並排的方式聳立於長型花器中，

有著竹籬笆的古樸風格，些許小花小草即能營造一室的生氣盎然。

工具

平口鉗・鐵絲・花剪

架構素材

銀柳

架構技巧

主要技巧：串接

輔助技巧：綑綁

架構特色

能持續生長的架構

製作步驟

參見P.235與P.243圖解步驟。

製作協力／陳映存

運用類別

規則幾何圖形	不規則	立體	平面
層疊	半圓形	球形	月眉形
三角錐形	長方形	正方形	自然素材
加工後自然素材	非自然素材（異材質）	可持續生長	可乾燥不變形
枝材	葉材	藤柳類	果材
環保素材	創意加工	獨立架構	與花器結合的架構
植生式架構	裝飾性架構	一次完成架構	兩階段完成架構

■ 造形元素　　■ 材料元素　　■ 型態元素

設計作品

架構／26

技之九　**串接**

作品設計理念＆色彩搭配概念

以多彩顏色營造春天氣氛，虞美人的曲線與架構的直線互成對
比，突顯各自特色。

花材

虞美人‧芳香天竺葵

製作步驟

1. 視線條的特色而定，將虞美人高高低低的安排在架構的前後
　方，固定在架構的縫隙中，若稍有不穩，則需以鐵絲固定。
2. 芳香天竺葵以葉面水平之姿，固定在架構縫隙中，以穩定作品
　整體重心。

圖 解 步 驟

 架構／25　變奏D醇郁／實用生活作品運用 四　P.229

1. 百香果上方切出較大開口，方便將花朵
投入。

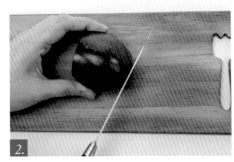

2. 稍微切去百香果殼底，使之能站立。

3. 去除果肉後，以消毒環境比例的漂白水
稍加浸泡，防止果蠅產生。

4. 準備好所需數量的百香果殼。

5. 苔木或樹枝擺放好後，與果殼交集處以
錐子鑽孔。

6. 鐵絲穿過果殼上的孔洞，與樹枝綑綁固
定。

7. 利用樹枝串接成一個穩定一體的架構，
並且表現出線條自然交錯的美感。

架構／26　古韻華年／銀柳×盤花設計　P.235

1.
銀柳剪成大致等長備用。長度三等分後，在1/3和2/3處，如圖加上24號鐵絲，扭轉固定。

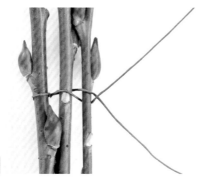

2.
加上第2枝銀柳，鐵絲僅上下交叉夾住，即可加上第3枝銀柳。

3.
三枝銀柳並排的模樣。

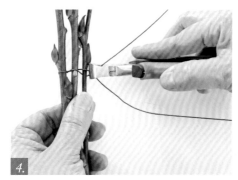

4.
此時才以平口鉗扭轉鐵絲固定。

5.
鐵絲扭轉後，會連帶收緊三枝銀柳間的間隙。

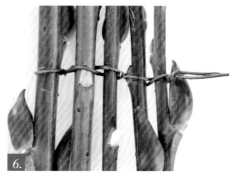

6.
繼續以相同方式串接至所需長度，每增加2枝再扭轉鐵絲即可。

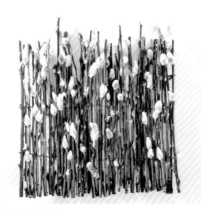

7.
串接完成的架構。

8.
捲成筒狀的架構。

9.
展開排列狀的架構。

技之十

束。

「束的材料要足夠，才能擁有一定的面積，使結構體能夠穩定站立」

　　將大把素材綑紮成束的結構體，並且在素材空隙內加入花材。與卡的技巧不同的是，這個技巧不需依靠花器固定。即使使用花器也只是為了供給水分，與結構體的成型無關。因此束的材料要足夠，才能擁有一定的面積，使結構體能夠穩定站立。

　　表現的素材除了蒲葉、稻草、蘆葦桿等較柔軟的材質，亦可選用樹枝或堅硬的長葉段（新西蘭葉）。目前最常使用較有彈性的橡皮筋作為初步綑紮，待花材置入後，再以拉菲草或麻繩作最後的穩定固定。若只採橡皮筋，需要使用兩段固定才能在彈性中兼具穩定，可視作品的整體設計，決定是否要遮蓋橡皮筋。

　　除了置於花器中，以利後續添加花卉材料的水分供給外，亦可直接在成束的材料中加上試管或水管，作為供水之用，作品呈現更加簡潔獨立。

水漾

蒲葉×架構盤花

技之十　束

氛圍立現。
簡單的花材，
俐落的直立線條，
十分適合作為現代式設計的材料。
水蠟燭葉的直立線條，
是童年回憶中難忘的一景。
一枝枝蠟腸在空中搖擺，
季節來臨時，
水蠟燭葉簡直是高聳入雲宵，
對幼小的我而言，
幼年時住家邊有窪小池塘，

架構設計理念

利用大量素材綑綁成束,用以固定花材,即為束的架構技巧。

水蠟燭葉(蒲葉)的價格親民,大量使用時亦能夠節省成本,

直立線條所形成的俐落感,更是其重要特色。

工具

橡皮筋 · 花剪

架構素材

水蠟燭葉(蒲葉)

架構技巧

主要技巧:束

運用類別

規則幾何圖形	不規則	立體	平面
層疊	半圓形	球形	月眉形
三角錐形	長方形	正方形	自然素材
加工後自然素材	非自然素材(異材質)	可持續生長	可乾燥不變形
枝材	葉材	腰柳類	果材
環保素材	創意加工	獨立架構	與花器結合的架構
植生式架構	裝飾性架構	一次完成架構	兩階段完成架構

■ 造形元素　　■ 材料元素　　■ 型態元素

製作步驟

1. 在預定放置海棉固定器的花器底部貼上隱形膠帶，方便事後花器的清理。

2. 海棉固定器以黏土固定於隱形膠帶上。

3. 蒲葉剪成20或30公分小段，在一小把蒲葉的上下方加上橡皮筋，鬆鬆的固定成束即可。請特別注意此階段的整理，成束時吸水端一定要朝下，以利材料持續吃水。

4. 依需求在蒲葉束中加入等高的水蠟燭葉，直到所需面積為止。

5. 將製作完成的蒲葉束插在海棉固定器上固定即可。

◆圖解步驟請見*P.252*

設計作品

作品設計理念＆色彩搭配概念

以單一花材的紫色愛麗絲為主，搭配架構的綠色。

花材

愛麗絲（荷蘭鳶尾）・菖蒲葉・斑春蘭葉・麥飯石

製作步驟

1. 在水蠟燭束中加入高高低低的愛麗絲，要注意前後空間感及疏密的自然感。

2. 加入菖蒲葉加強向上線條的自然感。

3. 在橡皮筋外黏貼斑春蘭葉修飾。

4. 花器內舖滿麥飯石，協助固定架構。

5. 最後加入清水，供給花卉水分。

圖解步驟

1. 取適量花藝黏土。

2. 將黏土貼在海棉固定器底部。

3. 在花器底部的預定位置貼上隱形膠帶，再將海棉固定器牢牢設置於隱形膠帶上。

4. 蒲葉剪成20或30公分小段，請特別注意此階段的整理，剪切時要對齊吃水端，若放反了很難找回正確方向。

5. 成束時吸水端一定要朝下，以利材料持續吃水。

6. 在一小把蒲葉的上下方加上橡皮筋，鬆鬆的固定成束即可。

7. 依需求在蒲葉束中繼續加入等高的水蠟燭葉，擴充分量至所需面積為止。

8. 將蒲葉束插在海棉固定器上固定。

技之十一
折。

「藉由折出規則或不規則
的線條，使線條張力更為
突顯。」

　　以具有韌性的長形材料折出不同角度的線段或幾何造
形，互相連結成一個鏤空的結構體。可以規則呈現水平與
垂直的角度，亦可不規則的表現隨興塗鴉般的線條交錯，
藉由折出規則或不規則的線條，使線條張力更為突顯。

　　中空的素材若事先穿入鐵絲，角度可以掌握得更精
準。若是無法內穿鐵絲的素材，折出角度後的定型，就需
要依靠線條與線條交錯點的綑綁或黏貼，才能夠形成穩定
的結構體。

28

紊

蒲葉×瓶花設計

難易度／✿✿✿✿✿

世事曲曲折折，
複雜繁瑣，
當心中雜陳無處寄託，
不妨縱情於花藝世界中，
在折曲之際，
把念想放空、放下，
只留清靜在心頭。

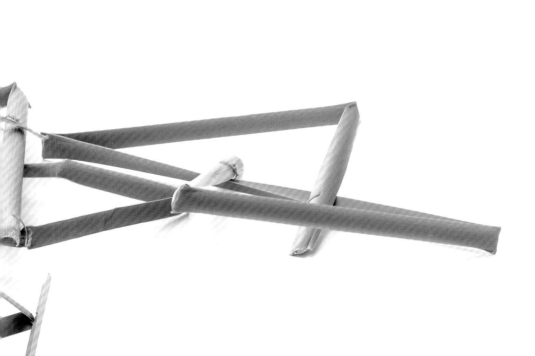

架構設計理念

使用一些特殊技巧時，需熟稔素材本身的特質，才能作出最佳表現。

水蠟燭葉的纖維具韌性，折曲後不易斷裂，

即使以折線表現交錯線條的張力，仍然是直線的呈現。

規則整齊的成束表現，與這個不規則的直線交錯，各顯趣味。

工具

鐵絲・花剪

架構素材

水蠟燭葉（蒲葉）

架構技巧

主要技巧：折

輔助技巧：綑綁

架構特色

改變素材特性

運用類別

規則幾何圖形	不規則	立體	平面
層疊	半圓形	球形	月眉形
三角錐形	長方形	正方形	自然素材
加工後自然素材	非自然素材（異材質）	可持續生長	可乾燥不變形
枝材	葉材	藤柳類	果材
環保素材	創意加工	獨立架構	與花器結合的架構
植生式架構	裝飾性架構	一次完成架構	兩階段完成架構

■ 造形元素　■ 材料元素　■ 型態元素

製作步驟

1. 蒲葉以一段*10至20*公分的長度折成三角形，並且以*24*號鐵絲
   穿刺葉片重疊處加以固定。

2. 餘下葉片可繼續隨意轉向，折成立體三角狀的素材。

3. 先將作好的三角折線架構卡進花器內，與花器結合固定。

4. 以相同作法陸續作出至少三十個立體三角蒲葉架構。

5. 在花器上堆疊立體三角蒲葉架構，並且利用鐵絲綑綁連結架
   構，使之成為一個長串，從花器內延續到花器外的桌面。

◆圖解步驟請見*P.260*

製作協力／周盈汝

設計作品

作品設計理念＆色彩搭配概念

以純白搭配複雜交錯的蒲葉架構，墨綠的觀音蓮葉呼應了花器與架構的色彩。

花材

亞馬遜百合・黑葉觀音蓮葉・迷你白海芋

製作步驟

1. 延伸在桌面上的蒲葉架構加上一支試管，供給黑葉觀音蓮葉水分。

2. 迷你白海芋切口以封蠟方式處理，防止水分散失，即可以鐵絲綑綁固定在架構上，
   表現交錯不規則的線條。

3. 一片觀音蓮葉高聳直立在花器上方，穩定作品重心。

4. 亞馬遜百合穿過架構插入花器內，略帶線條表現精緻花型。

圖解步驟

架構/28　綦／蒲葉×瓶花設計　P.257

1. 蒲葉如圖示，每10至20公分一折。

2. 將蒲葉折成三角形。

3. 使用24號花藝鐵絲穿刺葉片重疊處。

4. 彎折鐵絲，扭轉固定。

5. 由於蒲葉柔軟易裂，鐵絲無需太緊，固定形狀即可。

6. 餘下葉片繼續轉向，折成立體三角狀。

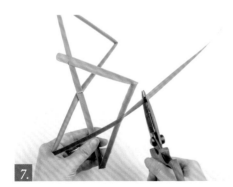

7. 剪去多餘葉片，完成一個三角立體素材。

8. 完成的三角立體素材。

8. 重複同樣作法，隨性折角，作出至少三十個立體三角蒲葉架構。

7. 最先作好的三角折線架構要先卡進花器內，與花器結合固定。再以鐵絲綑綁連結架構，使之成為一個長串，從花器內延續到花器外的桌面。

技之十二
雕刻。

「選擇雕刻材料時，葉片
特殊的質感和線條會使作
品更加分。」

直接將葉片刻出設計師所要的造型，或沿著鐵絲加工
後的框線雕刻，為造型加上收邊，使作品更顯精緻。使用
的葉片條件為失水乾燥後不變形或縮小，葉蘭是目前找到
的最佳材料。除此之外，若想利用變葉木這類紋路特殊，
但會略為變形的材料，可先將葉片勻均噴上萬用膠，再黏
貼於紙板上，以控制葉片不致縮水變形。

選擇雕刻材料時，葉片特殊的質感和線條會使作品更
加分。葉型要大，亦是材料選擇重點之一。若葉片較小但
不易縮水，如尤加利葉之類的素材，也可以先在紙板上拼
貼出一定的面積，再進行雕刻設計。雕刻物串接後即能成
為一個架構。

29

一生守候

斑葉蘭×現代式花環設計

難易度／✿✿✿✿✿

亮黃銀杏葉在高緯度地區是
季節到來就會到訪的大自然好友。
然而，
對於在台北成長的我而言，
在畫裡、在夢裡、在散文裡，
一直是個不真實的存在。
直到幾年前學生送我一盆銀杏樹，
翠綠的葉片茂密，
但仍不是畫裡那幻夢的亮黃。
偶然在網路上翻看到花語──
「代表純情、永恆不變的一生守候」
對比在現實中看到的光怪陸離情感糾葛。
那飄搖不實際的綺想，
就讓她更為奇幻吧……

架構設計理念

學習雕刻技巧時，最困難的就是造形。加上銀蔥線的鐵絲要先塑形，

掌握表現造形的特色；仔細觀察葉片紋路的變化，

取出想要表現在造形上的葉面黏貼；片片單一元件都是精雕細琢的精品。

可組合成不同的作品，變化萬千。常見此技巧用於身體花飾的創作，

今串連成花環架構。取其生生不息，永恆之意。

工具

22號鐵絲・雙面膠・刻刀・花剪

架構素材

斑葉蘭・銀蔥線

架構技巧

主要技巧：雕刻

輔助技巧：鐵絲塑形

架構特色

造型極度自由，不受材料形態影響。

運用類別

規則幾何圖形	不規則	立體	平面
層疊	半圓形	球形	月眉形
三角錐形	長方形	正方形	自然素材
加工後自然素材	非自然素材（異材質）	可持續生長	可乾燥不變形
枝材	葉材	藤柳類	果材
環保素材	創意加工	獨立架構	與花器結合的架構
植生式架構	裝飾性架構	一次完成架構	兩階段完成架構

■ 造形元素　■ 材料元素　■ 型態元素

製作步驟

1. 22號裸線以極細雙面膠包覆後，纏繞銀蔥線。

2. 將銀蔥鐵絲彎曲呈銀杏葉外形，下方沾上花藝冷膠，貼在紋路變化較多的斑葉蘭葉面上。

3. 沿著銀蔥鐵絲外框將葉片刻下，即成一個單獨的銀杏葉架構。

4. 將一片片銀杏葉架構以鐵絲串接成環狀架構。

◆圖解步驟請見*P.268*

製作協力／陳姿璇

設計作品

作品設計理念&色彩搭配概念

突顯架構本身特殊的造形，配合架構色調，只採用白綠色花材。

花材

伯利恆之星

製作步驟

1. 將伯利恆之星以冷膠黏貼裝飾在架構上，作為裝飾。

2. 架構乾燥後呈米褐色調，若將伯利恆之星改成乾燥素材，又會有不同樣貌。

圖 解 步 驟

架構/29　一生守候／斑葉蘭×現在式花環設計　P.265

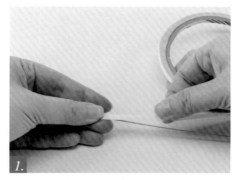

1.
將22號裸線黏上極細雙面膠。

2.
整枝鐵絲都要貼滿。

3.
一邊以雙面膠包覆鐵絲，一邊纏繞金蔥
或銀蔥線。

4.
金蔥線纏繞完成的模樣。

5.
將金蔥鐵絲彎曲呈銀杏葉外形，並預留
一小段鐵絲，接著在鐵絲下方沾上花藝
冷膠。

6.
在斑葉蘭葉面上找尋白色紋路變化較多
的位置貼上。

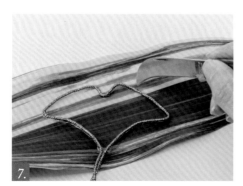

7.
沿著金蔥鐵絲外框將葉片刻下。

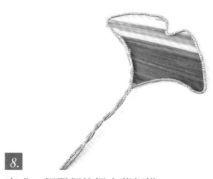

8.
完成一個單獨的銀杏葉架構。

9.
將一片片銀杏葉架構以鐵絲串接成環狀
架構。

技之十三

釘。

「木工的基本技巧，亦是
花藝創作的重要技巧。」

　　將素材以釘的方式結合固定，製作成架構。除了用於
架構，在花藝設計中也是很常見的技巧。釘的方式有以下
三種：

1.使用鐵槌及鐵釘：固定粗樹枝或木條時常用的方法。

2.使用木工釘槍：較薄的木片可以此工具操作，例如在木
板或木條釘上迴旋的薄木片。由於釘槍使用的釘子具有多
種尺寸，製作葉片覆蓋稻草花環的作品時，亦有人以木工
釘針固定，將葉片釘在稻草環上。

3.使用釘書機：即使是較薄軟的葉片同樣可以利用釘的技
巧，一片片串連成架構。

30 佇立

青剛櫟×自由站立設計

難易度／

歲月悠悠，
大樹靜默，
佇立千年依然平靜，
不擾不亂，
循著時序順應著環境，
怡然獨立。

架構設計理念

殼斗科的果實帶著最可愛的帽子（殼斗），是這類植物最引人注目的造形，

樹幹亦是曲折有緻，蒼勁有力。於是留下素材最具特色的原貌，

以植生姿態的自由站立技巧，創作可裝飾在空間中的架構作品。

工具

鐵槌・鐵釘・枝剪或鋸子・花剪

架構素材

青剛櫟・樟木片

架構技巧

主要技巧：釘

架構特色

植生式表現素材特色

運用類別

規則幾何圖形	不規則	立體	平面
層疊	半圓形	球形	月眉形
三角錐形	長方形	正方形	自然素材
加工後自然素材	非自然素材（異材質）	可持續生長	可乾燥不變形
枝材	葉材	藤柳類	果材
環保素材	創意加工	獨立架構	與花器結合的架構
植生式架構	裝飾性架構	一次完成架構	兩階段完成架構

■ 造形元素　　■ 材料元素　　■ 型態元素

製作步驟

1. 選擇兩枝青剛櫟姿態相依偎的線條作為架構
   材料，帶果的樹枝有著天然的活潑感。

2. 青剛櫟剪平切口後與樟木片貼合，鐵釘由側
   面釘入，將青剛櫟與樟木片釘牢。

3. 可由不同方向釘入鐵釘加強固定。

◆圖解步驟請見*P.278*

設計作品 A

作品設計理念＆色彩搭配概念

以冷色調與木質架構的暖色調作對比。

花材

藍繡球・紫繡球・粉絲菊・粉色水仙百合・黑葉觀音蓮葉・苔蘚

製作步驟

1. 在青剛櫟底部固定3至4枝玻璃試管，試管加入清水約七分滿。

2. 安排兩枝繡球與絲菊在中段不同高低層次。

3. 水仙百合在較低矮處點綴。

4. 黑葉觀音蓮葉與上段繡球作量感上的平衡。

5. 苔蘚布置在底部，遮蓋鐵釘並製造自然感。

設計作品 B

作品設計理念＆色彩搭配概念

與木質同色調的橘黃為主，搭配自然調的綠色。一朵粉色的繽紛菊看似不同調，仔細
見花瓣內側，可找到綠色基調的變化。

花材

姬菖蒲·金花石蒜·山耳環（頷垂豆）·繽紛菊·黑葉觀音蓮葉

製作步驟

1. 在青剛櫟底部固定3至4支玻璃試管，試管加入清水約七分滿。
2. 山耳環依其線條姿態，表現出具有空間感的變化線條，網綁在青剛櫟的枝幹上。
3. 將姬菖蒲安排在略低於架構的不同高低層次中。
4. 金花石蒜略低於姬菖蒲，注意前後空間都要安插花朵，作品才具有空間前後深度感。
5. 下層空間插上一朵繽紛菊及黑葉觀音蓮葉，藉以穩定作品重心。

圖解步驟

架構/30　佇立／青剛櫟×自由站立設計　P.273

1.
將選定的青剛櫟以樹枝剪平切口。

2.
青剛櫟切口與樟木片貼合，鐵釘由側面釘入，釘牢在樟木片上。

3.
可由不同方向釘入鐵釘加強固定，或垂直釘入釘子作為支撐，再以鐵絲綑綁固定。

少 見 花 材 介 紹

聖誕玫瑰／*Helleborus spp.*

在歐洲大陸聖誕節冰封大地的時節，這種植物卻花開正盛，人們以此花裝飾聖誕節，因此稱之為聖誕玫瑰（*Christmas rose*），但實際上與玫瑰無關。

技之十四
鐵絲網塑型。

「架構整體造型，是以鐵絲網捏塑而成。」

以市售鐵絲網為主體，塑造出造型後，再以其他方式美化外在舖面與質感，最常見的作法是以植物素材穿梭在網洞之間。穿梭的方式均歸類在編織，之所以另立類別，稱為鐵絲網塑型，主要是因為架構整體造型，是以鐵絲網捏塑而成。花市常見的龜甲網是最易得的首選材料，若要製作更大型、需要支撐力更強的架構，可到五金行選購不同粗細、不同孔目大小的各式鐵絲網。

亦可自製鐵絲網架構，或是以鐵絲編織成所需要的造型，使鐵絲線條與空間更靈活有趣，這又與編織技巧有些重疊與類似。

使用現成的鐵絲網，方便快速有效率，但較無特色，需要其他技巧的輔助來美化。自製的變化性較多，有時可單純表現網絡特色，但這就歸類為編織技巧了。要以運用時的狀況來決定適合的方法。

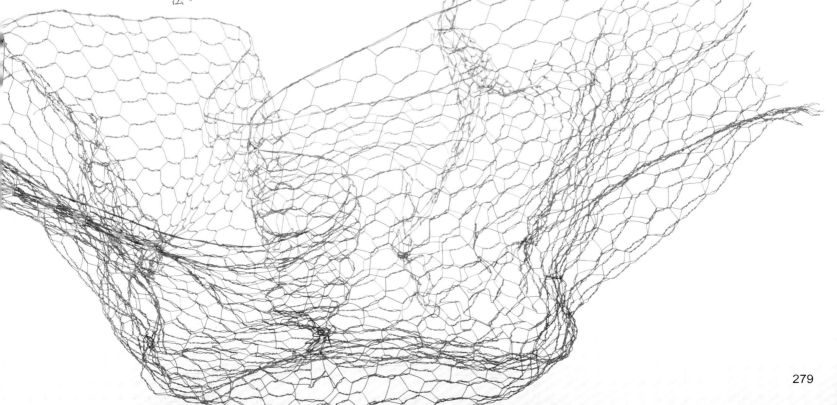

31

絲絲縷縷 皆是情

蒲葉絲×自製花器設計

難易度／❀❀❀

第一次學習到將蒲葉刷成細絲的技巧時，
甚覺有趣，
拿著縷縷細絲把玩著。
憶起孩提時，總愛站在媽媽身後，
拿著她的頭髮玩耍，
想像自己是髮型設計師，變化各種造型。
自己為人母後，女兒也對我作同樣的事……

出差時探訪了多年不見的老同事，
她說起這些年的遭遇、親人相繼離世。
談到她的母親，
雖然已不省人事住安養院多年，
但每每回到台北，安養院好似她的家，
媽媽在哪裡，家就在哪裡。
她走了，
心裡空了一大塊，
從此就沒有家了……

忍住淚水，不知如何安慰，
感謝自己的媽媽，
忍著這麼多年的病苦，
讓我一直是個有家有媽的孩子。

母親的綿綿思緒總是為了周全守護一個家，
如鳥兒用小嘴構築出的精緻鳥巢，
看似渺小，愛的力量卻偉大。
絲絲縷縷是牽掛，也是深情。

架構 / 31

技之十四 鐵絲網塑型

281

架構設計理念

自製花器 —— 使作品中占有重要影響力的花器，呈現獨一無二的樣貌，
讓整體設計更為獨特。外國老師在製作花器時，經常使用保麗龍作為基底，
外加各式各樣的材質作為舖面，但保麗龍實在不環保。
鐵絲網不但更有變化與可塑性，並且具有可重複利用的特性，
差別在鐵絲網無法儲存水分，要另外思考供水方法。

工具

劍山・花剪

架構素材

蒲葉・鐵絲網

架構技巧

主要技巧：鐵絲網塑型

輔助技巧：穿梭編織技巧

架構特色

結構體無透視感的架構

運用類別

規則幾何圖形	不規則	立體	平面
層疊	半圓形	球形	月眉形
三角錐形	長方形	正方形	自然素材
加工後自然素材	非自然素材（異材質）	可持續生長	可乾燥不變形
枝材	葉材	藤柳類	果材
環保素材	創意加工	獨立架構	與花器結合的架構
植生式架構	裝飾性架構	一次完成架構	兩階段完成架構

■ 造形元素　■ 材料元素　■ 型態元素

製作步驟

1. 將鐵絲網捏塑成碗狀備用。

2. 蒲葉以劍山處理成細絲狀，末端留一小段不撕裂，以利拿取穿梭。

3. 將處理後的蒲葉一上一下穿梭在鐵絲網孔洞之間，直到看不見鐵絲網為止，未撕裂的段落要隱藏在架構內側，或在穿梭後剪掉。

4. 碗狀邊緣的包覆方式，要由外向內整個覆蓋鐵絲網，使架構具有厚度感。

◆圖解步驟請見P.288

◆蒲葉絲的技巧請參考P.163「架構16　神祕的波西米亞／蒲葉絲×空間吊飾」圖解步驟

設計作品　A

作品設計理念＆色彩搭配概念

此花型表現手法，傾向熱鬧中帶有沉穩氣質。以紫色為主色調，深深淺淺的紫色或偏暗色或帶銀灰，再以一款粉紫色的康乃馨帶亮整體色彩，不致過於沉悶。

花材

小藍天繡球・暗紫紅色拖鞋蘭・灰紫色進口玫瑰花・墨紫色康乃馨・暗紫鑲白邊康乃馨・粉紫色康乃馨・紅心花藤蔓・迷你三角桔梗・石斑木花・深紫色重瓣鬱金香・紫色燕子花・迷你重瓣繡球・銀葉菊

製作步驟

1. 將花泉包覆防水透明紙後，放入碗型架構內，要低於架構（亦可取一高度低於架構的透明容器置入架構中，作為給水工具）。

2. 以石斑木葉片和銀葉菊作為舖蓋花泉的材料。

3. 將各式花材以開放式手法，高低錯落的插入花泉中。插著時，靠近架構邊緣的花材要穿過架構再插入花泉內，作為架構與作品結合的固定點。

4. 紅心花藤蔓拉出向左延伸的線條，使作品整體呈現不對稱的平衡。

5. 這個作品呈現花材豐富滿溢的熱鬧，架構在視覺上的比重退居第二。

設計作品 B

作品設計理念&色彩搭配概念

配合架構色彩的自然感,以銀葉菊近乎無彩色和紅心花藤蔓的白綠色調為主,花色仍以紫色為主,但數量大量減少,以自然色調主導整體作品的色感。

花材

暗紅色拖鞋蘭‧墨紫色康乃馨‧暗紫色鑲白邊康乃馨‧粉紫色康乃馨‧灰紫色進口玫瑰‧紅心花藤蔓‧銀葉菊

製作步驟

1. 將花泉包覆防水透明紙後,放入碗型架構內,要低於架構(亦可取一高度低於架構的透明容器置入架構中,作為給水工具)。

2. 以一枝較完整的銀葉菊低插在作品右側,與架構齊高。

3. 其他銀葉菊作為舖蓋花泉的材料,幾乎貼在花泉高度上,作遮蓋之用。

4. 其他塊狀花材採堆疊方式,高低錯落的垂直插入花泉中。一開始布局的花要貼近花泉,幾乎陷入架構中,再慢慢堆疊出高度與架構等高的花材。

5. 每一種花都要有陷入的層次,以及與架構等高的層次。

6. 唯拖鞋蘭要高出架構,形成視覺焦點。

7. 紅心花藤蔓左邊延伸出長線條、右邊略帶短線以呼應色彩。

8. 這個作品,花材多半陷入架構內,要擺放在低處,由高視角來欣賞,觀賞時具有探索的趣味。視覺上的比重由架構主導,花朵居於次要地位,但更能突顯花材的特色。

圖 解 步 驟

架構/31 絲絲縷縷皆是情／蒲葉絲×自製花器設計　P.283

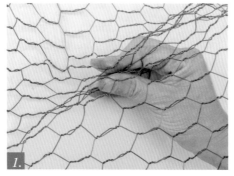

1.
預留作為底部的鐵絲網面積後，捏起多餘的鐵絲網。

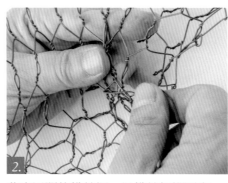

2.
收束展開的鐵絲網，以鐵絲綑綁固定。

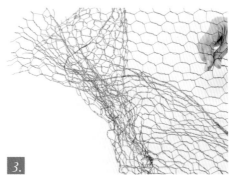

3.
繼續沿底部輪廓收束鐵絲網，漸成立體形狀。

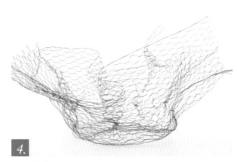

4.
立體碗狀大致成形的模樣。

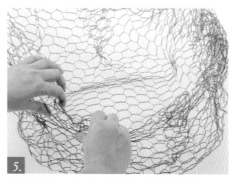

5.
接著將上方多餘的鐵絲網捲起折入，同樣以鐵絲綑綁固定。

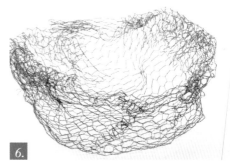

6.
鐵絲網捏塑成碗狀的模樣。

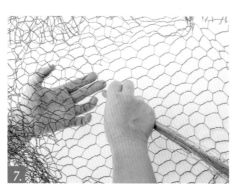

7.
蒲葉以劍山刷成細絲狀（參照P.163架構16），末端留一小段不撕裂，以利拿取穿梭。

8.
碗狀邊緣部分，要由外向內的覆蓋鐵絲網，使架構具有厚度感。

9.
蒲葉在鐵絲網孔洞之間一上一下穿梭包覆，直到看不見鐵絲網為止。未撕裂的段落要隱藏在架構內側，或在穿梭後剪掉。

技之十五

鑽。

「素材本身過於厚重，此時鑽的技巧為絕對必要之方法，無可替代。」

　　素材本身過於厚重，不易使用綑綁或黏貼等方式組合固定成結構體時，就必須先在素材上鑽孔，作出固定的孔洞，再以鐵絲綑綁固定。此時鑽的技巧為絕對必要之方法，無可替代。也因此，電鑽除了鑽孔之外，亦是綑綁技巧的輔助工具之一。

　　在木板上固定素材時，亦經常使用鑽的技巧。例如在木板上固定圓底的試管或竹籤時，也是先用電鑽鑽出適合的孔洞，再以其他方式固定，並繼續發展出架構變化。因此學習電鑽的使用方式，就是重要的技能之一，選用一般家庭用的電鑽即可，製作時要格外注意安全。

32

片片

桃花心木果實×架構式盤花

難易度／✿✿✿✿✿

孩子年幼時經常回南部探望爺爺奶奶，
陪著老人家在校園裡散步。

大學內傲然的桃花心木高不見頂，
那時散步樹下其實不覺驚心，
散落一地的果實是孩子們的玩具，
剝開厚實的果殼後，
內果皮精緻的紋路是不可多得的藝術品。
最內層翅果規則迴旋的飛翔降落之姿，
每每讓孩子們驚嘆不已！
這大自然給予的禮物，
在我的潛移默化中，
爺爺、奶奶、小伯父和所有孩子們，
都開始動手撿了起來，
究竟——
可以把這些材料變成什麼呢？

架構設計理念

架構需要連結，這厚重的果殼在連接上必有難度，

但挑戰的意義代表著從未有人作過，令人期待。

架構造型彷似我們在撿拾之際看到果殼落在地面的景象，

那一朵朵內果皮作出來的組合花，成了視覺焦點，

架構由花器傾瀉而出，將厚重的材料帶出難得的動態。

工具

電鑽‧20號咖啡色鐵絲‧平口鉗

架構素材

桃花心木果殼‧內果皮‧陽光陀螺

架構技巧

主要技巧：鑽

輔助技巧：綑綁

架構特色

厚重果實的運用

運用類別

規則幾何圖形	不規則	立體	平面
層疊	半圓形	球形	月眉形
三角錐形	長方形	正方形	自然素材
加工後自然素材	非自然素材（異材質）	可持續生長	可乾燥不變形
枝材	葉材	藤柳類	果材
環保素材	創意加工	獨立架構	與花器結合的架構
植生式架構	裝飾性架構	一次完成架構	兩階段完成架構

■ 造形元素　■ 材料元素　■ 型態元素

製作步驟

1. 使用電鑽在桃花心木果實外殼兩端鑽孔，每三片組合成一個三角形，以20號鐵絲綑綁固定，完成一個架構零件。

2. 以相同作法作出所需數量的三角形果殼零件，在選用花器上組合成立體架構。

3. 利用鐵絲綑綁連結，使三角形果殼架構成為一個長串，延續垂懸至地面。

4. 以鐵絲串接單片果殼，零星懸垂分布在作品下方，增加動感變化。

5. 接著以熱融膠黏貼桃花心木的內果皮，組合成花朵，並且以乾燥的陽光陀螺為花心。

6. 將組合花黏貼裝飾在作好的架構上，架構即完成。

◆圖解步驟請見P.298

製作協力／孫振寧・孫振曦

設計作品 A

作品設計理念＆色彩搭配概念

菊花與藤芽色彩和架構產生協調性，其他顏色由藤芽色彩分析而來，維持整體的色調平衡。暗紅大理花增加色彩層次的變化，鵝黃羽毛太陽花產生少許的明暗對比感，調和沉重色調。

花材

藤芽・橙色羅紗諾大菊・鵝黃羽毛太陽花・暗紅色大理花・黃薊花（橙波蘿）

製作步驟

1. 藤芽依其姿態表現在架構上，底部要吃到花器內的水以維持新鮮葉芽的活力，藤芽的輕盈舞姿與厚重的架構恰成對比，色彩協調。
2. 橙色羅紗諾大菊以堆疊方式表現在架構上，一兩朵接上試管固定在懸垂的下方架構，作為延續。
3. 暗紅大理不規則分布在橙色羅紗諾大菊之間，作為色彩點綴。
4. 黃薊花帶出花型大小的變化。
5. 鵝黃羽毛太陽花的淺色，為厚重色調帶來少許中和效果。

設計作品 B

作品設計理念 & 色彩搭配概念

整體維持著大地色調，巧克力向日葵在主色調內有豐富的深淺變化，熊貓百合神祕濃豔的色彩帶出作品的活力與精神。落地生根的花，兼具大地色調與清新黃綠，這些搭配色彩都是由架構的色彩分析而來。

花材

落地生根‧巧克力向日葵‧熊貓百合‧黃綠色迷你東亞蘭

架構素材

1. 因架構向左下懸垂，因此落地生根的花向上及右拉出線條使整體較為平衡，花的小燈籠型態十分可愛且具有動感。

2. 巧克力向日葵及熊貓百合在架構間表現，保留右側不加花，展現架構特色。

3. 黃綠色東亞蘭呼應落地生根的色彩，增加花材豐富度。

4. 向下懸垂的架構上加上試管，將花材延伸到此空間表現。

圖 解 步 驟

 架構/32　片片／桃花心木果實×架構式盤花　**P.293**

1.

使用電鑽在桃花心木果實外殼兩端鑽孔。

2.

鑽孔後的模樣。

3.

以20號鐵絲穿入兩片果殼。

4.

角度調整好之後，以平口鉗彎折鐵絲，綑綁固定。

5.

每三片組合成一個三角形，完成一個零件。

6.

在果殼中間的邊緣鑽孔，即可如圖示組成立體架構。

7.

同樣以鐵絲綑綁固定，即可延展架構規模。

8.

接著取桃花心木的內果皮製作花朵，在內果皮背面邊緣抹上熱融膠，疊在另一片上。

9.

建議上下交錯黏貼，可使完成花朵美麗自然。

花瓣黏好後，在花心黏上一朵乾燥的陽光陀螺即完成組合花的部分。

將組合花黏貼裝飾在作好的架構上，固定在有耳（或提把）花器上，架構即完成。

習花，將會是你人生中
最馨香多彩的美好決定！

FLOWER ARRANGEMENT

一起插花吧！
從零開始，有系統地
學習花藝設計（暢銷版）

全彩精裝
定價：1200元

最懂學習者難處的花藝教授 陳淑娟老師

以 25 年創作底蘊＆近 20 年教學經驗，

不藏私地講解製作要點，手把手教你建構最細緻的插花基本功。

無論是初學者、想系統性學習歐洲花藝基本技法的愛花者，

還是有志考取花藝師證照、精進花藝設計的習花人＆從業者，

本書都是您不可或缺的學習基石與靈感參考書。

噴泉花藝

悠遊四季花間・擁抱一束季節馨香

花之道02
初學者的第一堂花藝課
（熱銷版）
作者：enterbrain
定價：480元
26×23cm・150頁

花之道03
愛花人一定要學的
花的包裝聖經
作者：enterbrain
定價：480元
23×26 cm・120頁

花之道06
插花課的超強配角：
葉材の運用魔法LESSON
作者：
KADOKAWA CORPORATION
ENTERBRAIN
定價：480元
23×26 cm・112頁

花之道07
少少預算&花材
日日美好插花祕技
作者：
KADOKAWA CORPORATION
ENTERBRAIN
定價：480元
23×26 cm・112頁

花之道09
黑田健太郎的庭園風花圈
×雜貨搭配學
作者：黑田健太郎
定價：420元
19×26 cm・120頁

花之道21
花禮設計圖鑑300
作者：Florist編輯部
定價：580元
21×14.7cm・384頁

花之道27
花藝達人精修班：初學者
也OK的70款花藝設計
作者：
KADOKAWA CORPORATION
ENTERBRAIN
定價：380元
19×26 cm・104頁

花之道28
愛花人的
玫瑰花藝設計BOOK
作者：
KADOKAWA CORPORATION
ENTERBRAIN
定價：480元
26×23 cm・128頁

花之道29
開心初學小花束
（暢銷版）
作者：小野木 彩香
定價：350元
21×15 cm・144頁

花之道37
從初階到進階花束製作的
選花&組合&包裝
作者：Florist編輯部
定價：480元
19×26cm・112頁

花之道44
Sylvia's
法式自然風手綁花
作者：Sylvia Lee
定價：580元
19×24cm・128頁

花之道46
Sylvia's
法式自然風手作花圈
作者：Sylvia Lee
定價：580元
19×24 cm・128頁

花之道47
全圖解：花草好時日・跟
著James開心初學韓式花
藝設計
作者：James Chien閻志宗
定價：480元
19×24cm・144頁

花之道49
隨手一束即風景：
初次手作倒掛の乾燥花束
作者：岡本典子
定價：380元
19×26 cm・88頁

花之道55
四時花草・
與花一起過日子
作者：谷 匡子
定價：680元
19×26cm・208頁

花之道57
切花保鮮術
作者：市村一雄
定價：380元
21×14.8cm・192頁

花之道58
法式花藝設計配色課
作者：古賀朝子
定價：580元
19×26 cm・192頁

花之道59
花圈設計的
創意發想&製作
作者：florist編輯部
定價：580元
19×26 cm・232頁

花之道60
異素材花藝設計作品實例200
作者：Florist編輯部
定價：580元
21×14.7 cm・328頁

花之道63
冠軍花藝師的設計×思考：
學花藝一定要懂的
10堂基礎美學課
作者：謝垂展
定價：1200元　特價：980元
19×26 cm・192頁

花之道64
為你的日常插花吧！
18組生活家的花事設計
作者：平井かずみ
（Hirai Kazumi）
定價：480元
19×26 cm・136頁

花之道67
不凋花調色實驗設計書
作者：張加瑜
定價：680元
19×26 cm・160頁

花之道71
花職人的花藝基本功：
基礎花型的花束&盆花的
表現手法
作者：蛭田謙一郎
定價：580元
19×26cm・128頁

花之道72
花束&捧花的設計創意：
從設計概念與設計草圖出
發的222款人氣花禮
作者：Florist編輯部
定價：680元
19×26cm・224頁

本圖摘自《花藝設計基礎理論學Plus》

花之道56
花藝設計色彩搭配學
作者：坂口美重子
定價：580元
19×26cm．152頁

花之道61
初學者的花藝設計配色讀本
作者：坂口美重子
定價：580元
19×26 cm．136頁

花之道48
花藝設計基礎理論學
作者：磯部健司◎監修
花職向上委員會◎編輯
定價：680元
19×26cm．144頁

花之道70
花藝設計基礎理論學Plus
作者：磯部健司◎監修
花職向上委員會◎編輯
定價：800元
19×26 cm．128頁

本圖摘自《德式花藝名家親傳：花の造型理論・基礎Lesson》

花之道16
德式花藝名家親傳－
花束製作的基礎＆應用
作者：橋口 学
定價：480元
21×26 cm．128頁

花之道62
全作法解析・四季選材・
德式花藝的花圈製作課
作者：橋口 学
定價：580元
21×26 cm．136頁

花之道74
德式花藝名家親傳：花の
造型理論・基礎Lesson
作者：橋口 学
定價：800元
21×26 cm．144頁

一起進階花藝師！
架構之設計發想＆技巧應用作品實例

作　　　　者／陳淑娟
發　行　人／詹慶和
策　　　劃／蔡麗玲
執 行 編 輯／蔡毓玲・劉蕙寧・李宛真
編　　　輯／黃璟安・陳姿伶
執 行 美 術／周盈汝
美 術 編 輯／陳麗娜・韓欣恬
攝　　　影／數位美學・賴光煜
插　　　畫／戴宜恒
出　版　者／噴泉文化館
發　行　者／悅智文化事業有限公司
郵政劃撥帳號／19452608
戶　　　名／悅智文化事業有限公司
地　　　址／新北市板橋區板新路 206 號 3 樓
電　　　話／(02)8952-4078
傳　　　真／(02)8952-4084
網　　　址／ www.elegantbooks.com.tw
電 子 信 箱／ elegant.books@msa.hinet.net

2021 年 05 月初版一刷　定價 2500 元　特價 1980 元

經銷／易可數位行銷股份有限公司
地址／新北市新店區寶橋路 235 巷 6 弄 3 號 5 樓
電話／(02)8911-0825
傳真／(02)8911-0801

攝影空間協力／襲園美術館（設計單位：僕人建築空間整合）

國家圖書館出版品預行編目資料

一起進階花藝師！架構之設計發想 & 技巧應用
作品實例 / 陳淑娟著 . -- 初版 . -- 新北市：噴
泉文化館出版：悅智文化事業有限公司發行，
2021.05
　面；　公分 . -- (花之道；73)
ISBN 978-986-99282-3-6(精裝)

1. 花藝

971　　　　　　　　　　　　　110004862